afgeschreven

HIER ONVEILIG?
ONMOGELIJK!

PIETER VAN VOLLENHOVEN

HIER ONVEILIG?
ONMOGELIJK!

UITGEVERIJ BALANS

Omslagontwerp Bas Smidt
Omslagfoto en foto auteur ANP Photo
Typografie en zetwerk Studio Cursief, Irma Hornman
Druk Koninklijke Wöhrmann, Zutphen

ISBN 978 94 600 3627 9
NUR 740
www.uitgeverijbalans.nl

INHOUD

Vooraf 7

Inleiding 17

DEEL I
DE WEG NAAR EEN ONAFHANKELIJKE
ONDERZOEKSRAAD 23

De zoektocht 25
Een vuist tegen verkeersonveiligheid 32
Internationale contacten 58
Naar een onafhankelijk onderzoek 63
De bundeling van krachten in de transportsectoren 68

DEEL II
DE LANGE ADEM 123

Waarheidsvinding 125

DEEL III
ERVARINGEN MET ERNSTIGE VOORVALLEN 139

Wat is nu eigenlijk veiligheid? 141
Enkele onderzochte gevallen 164
Hier onveilig? Onmogelijk! 197

Tot slot 216

Vooraf

Inderdaad ben ik gezwicht voor het 'verleidelijke' verzoek van Uitgeverij Balans om 'een enkel woord' aan het papier toe te vertrouwen over mijn ervaringen met de strijd voor veiligheid en onafhankelijk onderzoek in ons land. Het woord 'strijd' klinkt altijd wat overdreven, maar u zult zien dat het geenszins vanzelf is gegaan! Natuurlijk ben ik uitermate verheugd dat het onafhankelijk onderzoek er na 22 jaar in 2005 uiteindelijk is gekomen met de oprichting van de Onderzoeksraad voor Veiligheid. Overigens ging de oprichting van de Raad voor de Transportveiligheid in 1999 hier wel aan vooraf, maar deze Raad was qua opzet onvergelijkbaar. Ik realiseer mij echter heel goed dat mijn leven ook een totaal ander verloop had kunnen hebben. Want terugblikkend is de scheidslijn tussen slagen en mislukken heel dun geweest.

Het onderwerp veiligheid heeft op mijn activiteiten een fors stempel gedrukt. Het is een onderwerp waarover wij zeer emotioneel kunnen spreken, maar in de praktijk gaan we er vaak zo anders mee om. Dat ik het onderwerp trouw ben gebleven, vloeit volledig voort uit mijn contacten met de slachtoffers van (ernstige) gebeurtenissen. Zo mocht ik vroeger, in de jaren tachtig van de vorige eeuw, ervaren dat 65 procent van alle gehandicapte sporters zijn of haar handicap door een verkeersongeval had gekregen. Niemand dacht of sprak daar met vreugde over. Door hen te steunen, ben ik vervolgens in contact gekomen met slachtofferhulp in het algemeen.

Bij een werkbezoek aan Amerika, eveneens in de jaren tachtig, heb ik kennisgemaakt met het fenomeen onafhankelijk onderzoek naar de directe en de achterliggende oorzaken van ernstige ongevallen en dat sprak mij van meet af aan enorm aan. Ik dacht: als je de veiligheid in de maatschappij daadwerkelijk wilt verbeteren, houd haar dan een spiegel voor van de werkelijkheid, van wat zich precies heeft afgespeeld. Want als dat niet helpt, wat helpt dan eigenlijk nog wel? Dit werkbezoek, deze kennismaking, is het startschot geweest van een lange ontdekkingsreis.

Het opzetten van onafhankelijk onderzoek heeft zich afgespeeld in dezelfde periode als het van de grond trekken van de hulp aan slachtoffers, tussen 1983 en 2005. Het onderwerp slachtofferhulp was nieuw. Dat gold niet voor het onafhankelijk onderzoek. Deze woorden waren reeds een begrip, alleen kon je je ernstig afvragen: hoe onafhankelijk waren die 'onafhankelijke' onderzoeken in de praktijk eigenlijk?

In 1989 heb ik samen met de ANWB en de Landelijke Organisatie Slachtofferhulp het Fonds Slachtofferhulp opgericht, om de hulp aan slachtoffers financieel te kunnen ondersteunen. Maar slachtofferhulp werd toen gezien als een politieke gril. Het was er nooit geweest. Waarom was het nu dan ineens zo nodig? Ga maar naar de pastoor, werd gezegd, of naar de dominee, je huisarts of naar je familie. Kortom, het Fonds kwam financieel gezien totaal niet van de grond en daarom ben ik toen begonnen – of liever gezegd, ben ik doorgegaan – met de concerten met de Gevleugelde Vrienden.

Doorgegaan, omdat ik van 1986 tot 1989 reeds concerten had gegeven met meerdere Gevleugelde Vrienden, namelijk Louis van Dijk, Pim Jacobs, Daniël Wayenberg, Laurens van Rooyen en Tonny Eyk, met het orkest van Harry van Hoof, om geld te werven voor de hulp aan verkeersslachtoffers. Het waren prachtige concerten, maar vanzelfsprekend geen eenvoudige formule, omdat het een enorme opgaaf was om iedereen voor een concert bijeen te krijgen.

Vanaf 1989 heb ik de concerten met de Gevleugelde Vrienden voortgezet in een nieuwe formule, met alleen Pim en Louis, om geld te werven voor slachtofferhulp in het algemeen. Dit kwam tot stand omdat Pim mij in mei 1988 zeer terloops had gevraagd of ik met hem en Louis zou willen meedoen aan een zondagochtendconcert dat begin december zou plaatsvinden in het Circustheater in Scheveningen.

'Zou je dat leuk vinden? Zoek dan wat melodieën van George Gershwin uit, want je houdt toch van zijn muziek, en zeg daar dan iets bij.'

Natuurlijk vond ik dit een prima plan, en het was nog zo ver weg! Maar Pim had mij niet gezegd dat dit ochtendconcert ruim een uur – namelijk 75 minuten – zou gaan duren. Dat hoorde ik pas veel later. Ik heb toen razendsnel melodieën uitgezocht en fors moeten studeren. Tot overmaat van ramp konden Pim en Louis geen tijd meer vinden om met mij te repeteren. Maar daarover hoefde ik me geen zorgen te maken, want zij kenden alle nummers van Gershwin heel goed en ik hoefde alleen maar te laten weten in welke toonsoort ik ze wilde spelen. Zij zouden mij wel volgen. Een lekker stel, die twee! In koor spraken ze: 'We kunnen toch ook voor het concert even repeteren, dan komen wij gewoon wat vroeger naar Scheveningen.'

Nu, toen kwamen natuurlijk de vleugels te laat binnen en dat niet alleen, ze moesten ook nog eens worden gestemd. Hoe dan ook, het concert werd voor mij een drama. Bij het eerste nummer was ik al volledig de draad kwijt. Maar... wij hebben met de zaal ontzettend gelachen en veel plezier gehad. Zo'n puinhoop hadden zij natuurlijk ook nog nooit meegemaakt. Uiteindelijk zou dit concert het startschot worden voor nog zo'n dertien jaar concerten, en ieder jaar weer werden wij uitgenodigd voor het zondagochtendconcert in het Circustheater.

9

Deze nieuwe concertenreeks, die wij in 1989 begonnen met The Gershwin Years, was bijna tien jaar lang de enige bron van inkomsten voor het Fonds Slachtofferhulp. Het ging meestal om zo'n 250 000 gulden per jaar en dat was vanzelfsprekend veel te weinig.

In 1995 hebben wij naar aanleiding van de vijftigjarige bevrijding van Nederland samen met de Koninklijke Militaire Kapel zo'n dertig concerten gegeven in binnen- en buitenland. Voor mij kwam toen de ernstige ziekte van Pim als een donderslag bij heldere hemel. Hij probeerde nog zoveel mogelijk mee te doen aan alle concerten, maar dat werd steeds moeilijker. Met zijn drieën hebben we over van alles van gedachten gewisseld, herinneringen opgehaald, gehuild, maar Pim bleef positief. Hij vond ook van meet af aan dat Louis en ik de concerten voor de slachtofferhulp moesten voortzetten.

Pim overleed in 1996. Louis en ik zijn toen inderdaad samen doorgegaan, maar dat voelde, ook voor het publiek, niet meer goed aan. Het heeft een tijdlang geduurd voordat wij een nieuwe muzikale weg hadden gevonden.

In 1999 kwam financieel gezien een grote ommekeer voor het Fonds Slachtofferhulp. Toen begon het bedrijfsleven het Fonds te steunen, gevolgd door vele donateurs. Ook de Vriendenloterij stak ons een helpende hand toe. Het resultaat van dit alles was dat het Fonds groeide van 250 000 gulden per jaar naar zo'n vijf miljoen euro nu, wat natuurlijk fantastisch is.

Intussen waren de concerten voor mij wel een uitermate intensieve aangelegenheid: ongeveer 25 optredens tussen september en mei! Om deze reden besloten wij in 2002 dan toch een streep te zetten onder deze fantastische periode. Ons laatste concert vond plaats in maart 2002, weer in het Circustheater, de plek waar wij drieën in 1989 waren gestart.

Bij het schrijven van dit boek vond ik het terugblikkend wel opvallend dat al mijn activiteiten eigenlijk vanaf de nulstand zijn gestart. Na mijn diensttijd bij de Koninklijke Luchtmacht en mijn stages in het bedrijfsleven zijn al mijn verdere activiteiten nieuw geweest. Dat gold voor mijn start als directeur bij de autokeuringen en voor mijn benoemingen tot voorzitter van de Raad voor de Verkeersveiligheid, het College Bevordering Veiligheidseffectstudies, de Raad voor de Transportveiligheid en de Onderzoeksraad voor Veiligheid. De Spoorwegongevallenraad, waarvan ik in 1984 voorzitter werd, vormde de enige uitzondering, want dit was een bestaand college. Maar nieuw waren weer mijn benoemingen tot voorzitter van het Nationaal Restauratiefonds, het Nationaal Groenfonds, het Fonds Slachtofferhulp en de Stichting Maatschappij, Veiligheid en Politie en de International Transportation Safety Association. Van de European Transport Safety Council ben ik alleen medeoprichter en *board member* geweest. Hoe het zij, het waren allemaal nieuwe activiteiten.

Al schrijvend vroeg ik me in hoge mate af of je deze gang van zaken nu zou moeten beschouwen als een consequentie van mijn huwelijk? Of zou dit gewoonweg voortvloeien uit mijn karakter of mijn opvoeding? Het is zo spijtig dat ik hierover niets meer aan mijn ouders kan vragen of aan mijn enige broer. Thuis, in Schiedam, waar ik ben geboren, ben ik zeker individualistisch opgevoed. Overigens ben ik verder volledig getogen in Rotterdam, dus voor de lagere en middelbare school, alsmede voor mijn hobby's, zoals hockey, roeien en het beroemde pianospel, heb ik eindeloos veel heen en weer moeten fietsen.

Mijn broer was vijf jaar ouder, wat tijdens de schooltijd best veel was. Dertien of achttien jaar is een groot verschil. Mijn broer was heel intelligent, maar kon zich in zijn schooltijd slecht concentreren. Hij slaagde werkelijk voor alle toelatingsexamens en andere schooltesten met hoge cijfers, maar zijn rapportcijfers waren bedroevend. Tot groot verdriet van mijn ouders bezocht hij daardoor vele scholen en dat proces sprak mij nu geenszins aan.

Toen mijn ouders mij ook maar eens lieten testen, was dat – wederom tot hun verdriet – absoluut geen succes. Die onderzoekers wisten niet wat ze over mij moesten zeggen en ik zie mijn ouders nog huilend over dit resultaat thuiszitten. Toen begon het 'stierachtige' in mij al op te spelen. Met veel moeite ben ik terecht gekomen op het montessorilyceum, afdeling Gymnasium B.

In de exacte vakken was ik veel beter dan in de talen, maar toen onze 'klassenjuf' mij kwam berichten dat ik beter kon vertrekken naar de afdeling HBS B, heb ik haar gezegd dat zij het kon 'schudden'. Wij werden daar wel ietwat vrij opgevoed! Ik heb haar, mijn broer indachtig, gezegd dat ik dan nog liever tot mijn dertigste op school zou blijven zitten, want ik moest en zou het Gymnasium B afmaken.

Welnu, acht jaar heb ik over die middelbareschooltijd gedaan en in bijna alle vakken – misschien zelfs gymnastiek – heb ik bijlessen gekregen. Wat natuurlijk weer extra fietsen betekende!

Kortom, ik heb mij door mijn schooltijd geworsteld en thuis eindeloos achter mijn bureau gezeten. Mijn ouders vonden dat zielig en hebben mij daardoor verwend. Volgens mijn vrouw 'te veel' verwend. Zij vonden het bijvoorbeeld goed dat ik via advertenties in de krant mijn eigen dixielandorkest samenstelde. Via deze advertenties werd Bob den Uyl, de latere schrijver, nog mijn trompettist. Met de Dixieland Society trad ik op voor schoolfeesten en partijen, nam ik deel aan de AVRO Jazz-competitie in de Haagse dierentuin, waar ik Pim Jacobs leerde kennen, en aan AVRO Minjon-uitzendingen. Joop Schrier, de pianist van de Dutch Swing College Band, was nog korte tijd mijn pianoleraar.

Natuurlijk liep dit allemaal volledig uit de hand. Zelf was ik de leider van het orkest en mijn broer was de drummer.

Een fantastische tijd was het en helaas heb ik nooit aan mijn ouders gevraagd waarom zij dit toch allemaal goed hebben gevonden.

Ik stopte met het orkest toen ik in de vijfde klas bleef zitten en vervolgens heb ik alleen maar als een soort kluizenaar gewerkt, want niemand kwam natuurlijk naar Schiedam gefietst, dat was veel te ver... Bij het eindexamen fluisterde de rector mij vertrouwelijk in het oor dat ik maar niet moest gaan studeren, dat was veel te hoog gegrepen voor mij. Volgens hem zou ik daar zeer ongelukkig van worden en kon ik beter direct naar het bedrijf van mijn vader gaan. Ik heb weleens gedacht dat hij mijn benoeming tot praktijkhoogleraar nooit zou hebben overleefd.

Natuurlijk ging ik toch naar Leiden en daar ben ik bepaald niet ongelukkig geworden. Ik heb veel tijd aan andere dingen besteed, maar de studie verliep best vlot – als ik eenmaal studeerde. Tijdens mijn Collegium-periode (het bestuur van de Leidse Studenten Vereniging Minerva) heb ik mijn vrouw leren kennen. Dat was in 1962. Wij bezochten een lustrum in Wageningen en na afloop gaf zij een diner om ons te bedanken. Toen gaf ik haar als cadeau een echte muis in een chocoladedoos. Die chocola had ik al opgegeten, want anders kon die muis er niet in.

Zo had ik een reden om haar later nog eens te mogen opzoeken onder het motto: 'Hoe gaat het toch met mijn muis?'

Vele contacten zijn hierna gevolgd die later, na het Collegiumtijdperk, allemaal in het geheim zijn verlopen. Het was een zeer romantische tijd. Zij zette een pruik op en mij kende niemand. Natuurlijk zijn wij eindeloos gewaarschuwd voor alle consequenties en het was ook uitermate onzeker of wij elkaar wel zouden mogen blijven zien. Wij hebben samen doorgezet en inderdaad zijn de consequenties van ons besluit ons later geenszins ontgaan.

Aanvankelijk stond mij zeker voor ogen om na mijn studie enige jaren, zo'n vijf jaar bijvoorbeeld, naar het bedrijf van mijn vader te gaan. Mijn vader had immers ook altijd voor mij klaargestaan. Dit is er echter door ons huwelijk niet meer van gekomen.

Ik heb altijd zeer van mijn onafhankelijkheid gehouden en uiteindelijk denk ik dat het deel uitmaken van grote organisaties mij niet zo zou hebben gelegen. Thuis heb ik geleerd zowel voor school als later voor Leiden hard te werken. Dat eeuwig zitten achter mijn bureau heb ik ook later voor alle nieuwe activiteiten moeten volhouden. Ik heb mij merkwaardig genoeg nooit afgevraagd wat er zou gebeuren als een nieuwe activiteit zou mislukken. Overigens had ik alle reden om mij dat wel af te vragen, omdat mijn eerste echte nieuwe baan – mijn directeurschap bij de Stichting Periodieke Autokeuringen – direct al na één jaar mislukte.

Ik houd wel van een uitdaging en het woord 'nee' komt eigenlijk in mijn vocabulaire niet voor. Ik heb hier in het oosten geleerd de kont tegen de krib te gooien en daar heb ik nooit spijt van gekregen. Nog erger: ik zou mijn leven direct weer overdoen. Overigens is mijn vrouw tegenover haar keus altijd zeer loyaal geweest en heeft zij mij door dik en dun gesteund. Want hoewel ik mij ooit had voorgenomen om een functie in de maatschappij te zoeken die niet strijdig zou zijn met het functioneren van mijn vrouw, kun je je met die strijd voor het onafhankelijk onderzoek oprecht afvragen: Niet strijdig... waar heb je het over... wat bedoel je?

Eén man heeft me op mijn veiligheidspad van meet af aan vergezeld en dat is Henk Pongers. Hij kwam in 1981 bij de Raad voor de Verkeersveiligheid en heeft vervolgens alle veiligheidsavonturen en -ontwikkelingen met mij meebeleefd. Wij hebben samen alle brieven geschreven op het gebied van het onafhankelijk onderzoek. Ik ben hem dankbaar dat hij nooit zijn heil elders is gaan zoeken, want de spanningen over al onze activiteiten liepen af en toe hoog op. Ook dit boek heeft hij in concept doorgelezen, en zo'n geheugensteun is echt onmisbaar. Voor je het weet zit je toch zomaar dingen te verzinnen, omdat het boek af moet. Henk, heel veel dank!

Zoals ik reeds opmerkte, is bij mij de scheidslijn tussen slagen en mislukken heel dun geweest. Na mijn 65ste verjaardag ben ik immers pas benoemd tot voorzitter van de Onderzoeksraad en tot praktijkhoogleraar Risicomanagement aan de Universiteit Twente. Het parlement heeft mijn veiligheidspad altijd in hoge mate gesteund. Je kunt gerust stellen dat mijn veiligheidspad geplaveid is geweest met moties van de Tweede Kamer. Dat gold zowel voor het voortbestaan van de Raad voor de Verkeersveiligheid als voor de instelling van de Raad voor de Transportveiligheid en later de Onderzoeksraad voor Veiligheid.

Wel kun je je oprecht afvragen of die moties voor het onafhankelijk onderzoek er ook zouden zijn geweest als zich geen ernstige ongevallen zouden hebben voorgedaan, waaronder de Bijlmerramp, de vuurwerkramp in Enschede en de cafébrand in Volendam. Ik weet het niet!

Vandaar dat ik heel goed besef dat alles ook geheel anders had kunnen aflopen. Wellicht had u dan gezegd: 'Het is misschien best een aardige jongen, maar jammer genoeg is hij niet uit de verf gekomen. Maar dat was eigenlijk ook voorspelbaar!'

In dit boek, dat voornamelijk de geschiedenis van het onafhankelijk onderzoek belicht, heb ik mij natuurlijk beperkt tot de hoofdlijnen. Ik vroeg mij sowieso al af: wie gaat dit nu lezen? Als je gedetailleerd gaat zitten schrijven, dan weet je zeker dat niemand het gaat lezen. Aan de andere kant vind ik het jammer dat ik niet dieper in kan gaan op de problematiek van de slachtofferhulp, de wereld van de monumenten, de problemen – zeker na de forse bezuinigingen – van de natuur, etc. etc.

Wij kunnen dat altijd nog overwegen, want al die terreinen zijn boeiend genoeg om er iets over te schrijven. Maar dat schrijven is geenszins een gemakkelijke opgaaf. Je bent namelijk nooit tevreden met je eigen teksten. Moet ik dit nog even zeggen, is dat wel juist? Ik heb al gezegd dat ik het niet erg vind om achter het bureau te zitten, maar dan moet het wel regenen. Bij mooi weer begin ik mij toch erg op te winden en wat zegt dan mijn directe omgeving? 'O, je bent zeker weer met je zelf bezig?'

Kortom, bij voorbaat mijn excuses voor alles wat ik wel heb gezegd, maar niet heb geschreven.

Inleiding

In de dagen na mijn afscheid van de Onderzoeksraad voor Veiligheid – dat was op 7 februari 2011 – kreeg ik geheel onverwacht een aardige brief van Uitgeverij Balans met het volgende verzoek:

'Over Uw jarenlange bemoeienis en diep ingrijpende ervaringen met de Raad, de opbouw ervan, de vele slachtoffers die U hebt bijgestaan, zou niet alleen door U het nodige moeten worden verteld, maar ook worden geschreven. U bent de enige die dat echt kan! U bent het geheugen en geweten van de Raad, een boek over al dat werk, ik denk dat velen dat erg graag zouden lezen. Televisie "verwaait", een boek blijft. Zou U dit verzoek willen overwegen?'

Over zo'n verzoek kun je natuurlijk heel verschillend denken.

Enerzijds: hoe kan deze uitgeverij nu zoiets verzinnen? Niemand leest toch zo'n boek. Wat zit hierachter? In dezelfde geest fluistert een stem vanbinnen: 'Laat je nooit door zo'n brief verleiden. Je weet toch dat je helemaal niet goed kunt schrijven. Nooit aan beginnen. Schrijf gewoon een verstandige brief en zeg tegen die uitgeverij dat je het verzoek in hoge mate hebt gewaardeerd, maar dat je helaas aan dit mooie en hartelijke aanbod geen gevolg zal geven.

Anderzijds kun je ook denken: die Uitgeverij Balans beschikt toch over een ruime ervaring. Zij hadden zo'n brief echt niet hoeven te sturen. En als het niets wordt met schrijven, dan weet toch niemand dat er ooit een verzoek is geweest.

Die ene zinsnede uit het verzoek: 'Televisie verwaait, een boek blijft', dat was de zin die bij mij een snaar raakte en de doorslag gaf om tegen de uitgeverij te zeggen dat ik het zou proberen.

Zelf ben ik in de loop van mijn leven veel waarde gaan hechten aan het bestaan van *echt* onafhankelijk onderzoek naar (ernstige) gebeurtenissen in onze maatschappij. Anders zou ik hiervoor ook nooit 22 jaar hebben kunnen strijden. Als zich in de maatschappij iets ernstigs voordoet, dan heeft zij naar mijn mening, zeker als zij zich democratisch noemt en transparant over allerlei zaken wil kunnen oordelen en beslissen, toch het recht om precies te weten wat zich heeft afgespeeld. Anders kun je je over zo'n gebeurtenis helemaal geen oordeel vormen of uit het gebeurde lering trekken.

Denk bijvoorbeeld aan de tsunami in maart 2011, de daaropvolgende ramp met de kerncentrale in het Japanse Fukushima en de maatschappelijke consequenties die hieraan verbonden zijn. Voor de beantwoording van de vraag of wij door willen gaan met kernenergie moet je toch allereerst precies weten wat zich daar heeft afgespeeld.

Had deze ramp voorkomen kunnen worden? Op wat voor aardbevingen had men daar eigenlijk gerekend? Met welke kracht op de schaal van Richter? Was men gewaarschuwd, voor of na de bouw van deze kerncentrale, dat de kracht van de te verwachten aardbevingen weleens groter zou kunnen zijn dan die waarmee bij de bouw rekening was gehouden? Werden aanpassingen hiervoor overwogen, of werd van aanpassingen afgezien, wellicht op grond van economische motieven? Wat is de positie van de overheid, van de vergunningverlener? Kenden zij de consequenties van aardbevingen met een grotere sterkte?

Vele vragen moeten worden beantwoord voordat men kan beslissen helemaal met kernenergie te stoppen. Men kan zich voorstellen dat hierbij zeer veel tegenstrijdige belangen een rol kunnen gaan spelen, waarbij de betrokkenen niet noodzakelijkerwijs baat hebben bij het aan het licht komen van de waarheid.

Kortom, onafhankelijk onderzoek om lering uit te kunnen trekken – niet voor de beantwoording van de schuldvraag, dat is iets anders, daar kom ik later nog op terug – is voor de maatschappij van het allergrootste belang. Mits zo'n onderzoek wordt erkend en ervaren als echt onafhankelijk en kwalitatief goed.

Als de maatschappij gaat twijfelen aan de kwaliteit of aan de onafhankelijkheid van zo'n onderzoek, dan heeft het natuurlijk geen enkele toegevoegde waarde.

Ik denk hierbij bijvoorbeeld aan mijn bezoek aan het Zweedse parlement in september 2004, naar aanleiding van het debat over het onderzoek naar de ramp met de veerboot Estonia, dat toen al bijna tien jaar duurde (de Estonia zonk op 28 september 1994). Naar aanleiding van de vele discussies heb ik het parlement toen voorgesteld om te besluiten het onderzoek alsnog over te doen of maatregelen te nemen voor de toekomst, waardoor een dergelijk onderzoek dan wel onafhankelijk kan plaatsvinden.

Nu waren drie organisaties bij het onderzoek betrokken, namelijk de Zweedse Statens Haverikommission (shk) en de Finse Onnettomuustutkintakeskus, beide onafhankelijk, maar het onderzoek stond onder leiding van het ministerie van Transport en Communicatie van Estland, want daar was de veerboot geregistreerd.

Estland beschikte niet over zo'n onafhankelijke onderzoeksorganisatie, omdat de wereld van de zeescheepvaart een dergelijk onderzoek niet verplicht stelt. De International Maritime Organization schrijft slechts voor dat 'each flag state has a duty to conduct an investigation', waarbij vermeld wordt dat 'ideally marine investigation should be separate from, and independent of, any other form of investigation'.

In zulke omstandigheden is het voor mij de vraag of je als onafhankelijke onderzoeksorganisatie eigenlijk wel had moeten deelnemen aan dit onderzoek. Je onafhankelijkheid komt volledig ter discussie te staan. Een dergelijke gang van zaken roept altijd vraagtekens op over de kwaliteit van het rapport, zelfs al is het onderzoek nog zo goed. De schijn heb je tegen.

Vragen zoals hierboven met betrekking tot de kernramp in Japan komen altijd, bij iedere ernstige gebeurtenis, in een of andere vorm terug. Denk maar aan die verschrikkelijke schietpartij op het eiland Utøya in juli 2011, of aan de tragedie in Alphen aan den Rijn, het schietincident in winkelcentrum Ridderhof in april 2011, of aan het olielek op 1500 meter diepte in de Golf van Mexico in april 2010.

Mijn ervaring is dat de noodzaak om te proberen de waarheid te achterhalen in het algemeen eigenlijk nooit openlijk wordt afgewezen, maar altijd wordt onderschreven. Vele betrokkenen hebben echter wel moeite met de onafhankelijkheid van het onderzoek.

Er bestaat een forse neiging in onze samenleving om invloed op de resultaten ervan te willen blijven uitoefenen. 'Om de scherpe kantjes er wat af te kunnen vijlen!'

Om deze reden heb ik zo lang voor de komst van 'echt' onafhankelijk onderzoek moeten strijden. Alleen al uit het feit dat het 22 jaar heeft geduurd, mag blijken dat het zeker geen vanzelfsprekende aangelegenheid is geweest.

Dit boek heb ik geschreven om een ieder nog eens een goed inzicht te geven in de waarde van onafhankelijk onderzoek voor onze maatschappij, en ook om duidelijk te maken waarom dit eigenlijk zo lang heeft moeten duren. En natuurlijk hoop ik dat dit boek een stimulans vormt om niet alleen onafhankelijke onderzoeken in te stellen, maar eveneens om de voorwaarden waaraan deze onderzoeken moeten voldoen in te voeren en veilig te stellen.

Want hoewel de huidige wettelijke regeling die aan de Nederlandse Onderzoeksraad voor Veiligheid ten grondslag ligt een garantie lijkt voor de toekomst, blijft waakzaamheid toch echt geboden.

Met het onafhankelijk onderzoek, met het vinden van 'de waarheid', maak je, zeker in eerste instantie, geen vrienden. Als het kabinetsbeleid zich er om welke reden dan ook ineens sterk voor zou gaan inzetten dat wij in Nederland geen extra beleidsmaatregelen meer treffen boven op Europees beleid (zoals dat bijvoorbeeld in het natuurbeleid is gebeurd, waar het kabinet als uitgangspunt nam om niet meer natuur in bescherming te nemen dan de Europese regels voorschrijven), dan is het snel met de Onderzoeksraad gedaan, omdat wij op dat gebied in Europa erg vooroplopen.

Evenzeer vind ik het voor de onafhankelijkheid van de Raad van belang dat die in de toekomst niet meer wordt 'opgehangen' aan een van de ministeries. Dat was in eerste instantie het ministerie van Binnenlandse Zaken en Koninkrijksrelaties en tegenwoordig is dat het ministerie van Veiligheid en Justitie.

Want als een departement eens zelf onderwerp van onderzoek zou worden, dan kunnen de onderlinge spanningen hoog oplopen. Dat heeft de ervaring met het onderzoek naar de Schipholbrand, waarbij het ministerie van Justitie was betrokken, wel aangetoond. Dergelijke spanningen moeten voor het goed functioneren van de Raad en het betrokken ministerie absoluut worden vermeden.

Tot slot, en dat geldt zeker in een tijdperk van bezuinigingen, kan natuurlijk de geldkraan aanzienlijk worden dichtgedraaid.

Vanzelfsprekend zal dit laatste nooit gelden voor te onderzoeken rampen, alhoewel wel een discussie noodzakelijk is over wat onder een ramp moet worden verstaan. In ons land wordt met betrekking tot de begroting van de Onderzoeksraad eigenlijk geen rekening gehouden met rampen. Hiervoor wordt altijd een extra beroep gedaan op de overheidsmiddelen, aangezien rampen zich niet laten begroten. Ook voor de voorvallen die de Raad internationaal verplicht is te onderzoeken, kan de geldkraan niet worden dichtgedraaid.

Zaken die wel gevoelig zijn voor bezuinigingen zijn de onderwerpen die geen onderzoeksverplichting kennen, zoals de sectoren industrie, gezondheidszorg voor mens en dier, natuur en milieu, alsmede het wegverkeer. De overige transportsectoren (lucht- en scheepvaart en rail) hebben alle hun eigen internationale verplichtingen. Dat geldt eveneens voor Defensie en gevaarlijke stoffen.

Tot op heden is de Raad nog nimmer geconfronteerd geweest met bezuinigingen die zijn functioneren met betrekking tot verplichte onderzoeken hebben belemmerd. Wel is de Raad naar mijn mening onvoldoende uitgerust om de nodige aandacht te kunnen schenken aan de sectoren die geen onderzoeksverplichting kennen. Dat laatste geldt zeker voor de gezondheidszorg van mens en dier.

Allereerst zal ik nu schetsen hoe ik zelf met het onafhankelijk onderzoek in contact ben gekomen. Vervolgens geef ik inzicht in de waarde en de betekenis van het onafhankelijk onderzoek voor de maatschappij. Ook laat ik zien waarom de strijd voor iets wat toch heel vanzelfsprekend lijkt zo lang heeft moeten duren. Tot slot sta ik stil bij de opgedane ervaringen.

DEEL I
DE WEG NAAR
EEN ONAFHANKELIJKE
ONDERZOEKSRAAD

De zoektocht

Bij zo'n 22-jarige strijd kan ik mij goed voorstellen dat men zich vertwijfeld gaat afvragen of ik op mijn middelbare school soms al over dit onderwerp droomde?

Ik kan u gelukkig geruststellen, dit was geenszins het geval.

Wel ben ik enigszins door mijn vader met het onderwerp veiligheid opgevoed, omdat mijn vader vroeger in Rotterdam tijdelijk bij de vrijwillige brandweer had gezeten. Ik vermoed dat dit rond de Eerste Wereldoorlog moet zijn geweest, omdat mijn vader in 1897 is geboren. Van hem moest ik altijd letten op de nooduitgangen – waar die zich bevonden, of ze niet op slot waren, en waar ze op uit kwamen. Deze afwijking heb ik trouwens nog steeds.

Natuurlijk klinkt dit overdreven, maar ik herinner mij nog het krantenbericht over een hotelbrand in Thailand. Daarbij waren veel gasten om het leven gekomen. Het hotel had namelijk de meeste nooduitgangen op slot gedaan, omdat sommige hotelgasten de gewoonte hadden het hotel via de nooduitgangen – dus zonder te betalen – te verlaten.

In mijn studentenkamer in Leiden had mijn vader een lang touw bevestigd aan mijn bed om het pand bij brand door het raam te kunnen verlaten. Natuurlijk geneerde ik me dood voor mijn vrienden, die op mijn kamer kwamen en vroegen: 'Wat ligt daar in hemelsnaam voor vreemde slang onder je bed?'

En toch. Toen ik niet zo lang geleden terugkwam in Leiden en vroeg hoe het was met mijn oude huis... nu, dat was afgebrand!

In Leiden, waar ik studeerde van 1959 tot 1965, kwam ik kort in aanraking met het onderwerp veiligheid, omdat één van mijn twee keuzevakken de Nederlandse Politieorganisatie was. Toen wist ik nog niet dat dit onderwerp mijn gehele verdere leven ter discussie zou blijven staan, ook nu weer, met de komst van één nationale politie.

Mijn hoogleraar Strafrecht, professor Mulder, die later nog werd benoemd tot secretaris-generaal bij het ministerie van Justitie, wilde mij een jaar naar Amerika sturen om een cursus te volgen bij de Police Academy. Maar dat heb ik tot zijn teleurstelling niet gedaan, omdat ik inmiddels ook was gevraagd deel uit te maken van het Collegium, het bestuur van de Leidse Studenten Vereniging Minerva.

Het eerste echte veiligheidscontact ontstond toen ik na mijn rechtenstudie van 1965 tot 1968 mijn dienstplicht vervulde bij de Koninklijke Luchtmacht. In eerste instantie werd ik daar als Reserve Officier Academisch Gevormd (ROAG) geplaatst bij de juridische staf en vervolgens bij het 'ongevallenonderzoek', waar ik heb gediend onder generaal Berlijn, de vader van generaal Dick Berlijn, die als bevelhebber der Luchtstrijdkrachten later werd benoemd tot onze eerste commandant der Strijdkrachten (van 2004 tot 2008). Overigens was het ongevallenonderzoek toen gevestigd in Zeist, in het huis waar nu de pianist Wibi Soerjadi woont.

Vervolgens heb ik bijgetekend om de vliegopleiding te kunnen volgen voor de Groep Lichte Vliegtuigen (GLV) op de vliegbasis Gilze-Rijen. Daar leerde ik snel wat veiligheid echt is, omdat je natuurlijk niet op een wolk op de Wegenwacht kunt gaan zitten wachten. Tevens werd je duidelijk gemaakt dat de enige straf op een veiligheidsfout eigenlijk de doodstraf was. Dit klinkt wellicht wat overdreven, maar er zit een grote kern van waarheid in, omdat je dit soort vliegtuigen nu eenmaal niet met een parachute kunt verlaten.

Tijdens mijn diensttijd ben ik getrouwd, of liever gezegd 'mocht' ik trouwen met Hare Koninklijke Hoogheid prinses Margriet. Door deze overigens zeer heuglijke gebeurtenis veranderde mijn leven al snel fors.

Oorspronkelijk was het trouwens geenszins de bedoeling om snel te verloven of te trouwen, omdat ik geacht werd mijzelf eerst maar eens te bewijzen in de maatschappij. Men dacht natuurlijk: dat neemt zoveel tijd, dan waaien al die romantische gevoelens vanzelf wel weer over.

Maar door een aantal omstandigheden, waarbij de discussies rondom het huwelijk van H.K.H. prinses Irene zeker een belangrijke rol hebben gespeeld, ging men anders denken over het 'eerst' carrière moeten maken in de maatschappij. Toenemende geruchten over ons beiden gaven de doorslag om onze verloving eerder bekend te maken.

Na mijn huwelijk ging een groot aantal personen zich met mij bemoeien. Enerzijds wisten velen wat goed voor mij zou zijn en weer anderen vonden het absoluut onjuist dat wij überhaupt mochten trouwen en waren getrouwd. Geruchten zoals: 'Dit huwelijk is gedoemd te mislukken', en: 'Wat moet zo'n jongen in hemelsnaam gaan doen, als hij maar niet denkt dat hij voor prins kan gaan spelen', gonsden vrolijk in de wandelgangen rond.

Met het oog op dit gegons en de vele onoverzichtelijke veranderingen in mijn leven heb ik ernstig overwogen om bij de Koninklijke Luchtmacht te blijven. De militaire wereld was voor mij immers veel overzichtelijker dan de burgermaatschappij. In de militaire wereld groet je, bij wijze van spreken, je meerdere en die groet terug en in het meest ongunstige geval kun je er nog een opdracht bij krijgen. Maar het was geen reële optie bij de Luchtmacht te blijven, omdat ik de opleiding aan de Koninklijke Militaire Academie niet had gevolgd. Kortom, na de Luchtmacht trad ik het woelige leven van de burgermaatschappij tegemoet.

Van meet af aan had ik mij voorgenomen – bij alle discussies over wat ik in het leven 'moest' of wilde gaan doen – om een werkkring te zoeken die niet strijdig zou zijn met het functioneren van mijn vrouw. Dit standpunt werd door velen niet begrepen en gedeeld. Maar ik ben nog steeds blij en dankbaar dat ik dit uitgangspunt, ook in die moeilijke beginjaren, nooit heb losgelaten. Ergens voelde ik dat, als er inderdaad in ons huwelijk sprake zou zijn van verschillende belangen, die ene zinsnede van 'dit huwelijk is gedoemd te mislukken' echt een rol zou kunnen gaan spelen.

Mijn enige ervaringen in het leven waren toen mijn school- en studententijd en mijn diensttijd bij de Koninklijke Luchtmacht, wat natuurlijk ruim onvoldoende was om snel zo'n niet-strijdige functie te kunnen vinden.

Ik had zelf ook geen idee op welk terrein ik zo'n functie zou willen zoeken.

Thuis was ik opgevoed met het bedrijfsleven. Mijn vader hoopte dat ik in zijn bedrijf zou komen werken. Hij had in Rotterdam, Amsterdam, Schiedam en in Rucphen een bedrijf dat gespecialiseerd was in dekkleden, om bijvoorbeeld scheepsladingen mee te scheiden en te bedekken. Tegenwoordig zijn dekkleden veelal vervangen door containers! Daarnaast maakte het bedrijf ook zonweringen, vlaggen en tenten.

Zelf had ik in mijn studententijd meer belangstelling gekregen voor het werk in de Tweede Kamer. Het onderwerp veiligheid was toen nog niet bij mij doorgedrongen als mogelijk toekomstig werkterrein.

Om meer werk- en levenservaring op te kunnen doen, werd mij aangeraden verdere studies in het buitenland te gaan doen – zelfs in het buitenland te gaan wonen, omdat in Nederland blijven toch wel heel moeilijk voor mij zou gaan worden – en minstens te beginnen met enige stages in het bedrijfsleven.

Voor dit laatste heb ik gekozen omdat dit traject mij meer ruimte zou geven om mijn toekomst te verkennen. Dit 'verkennen' heeft uiteindelijk vrij lang geduurd, namelijk van 1968 tot 1974!

In eerste instantie kwam ik terecht in Arnhem, bij de Nederlandsche Heidemaatschappij (thans Arcadis geheten), waar ik werd geplaatst als directiesecretaris buitenland bij ingenieursbureau Ilaco. De oud-minister van Defensie, de heer C. Staf, toen directeur van de Heidemaatschappij, was met dit voorstel gekomen. Hij vond het ook prima als ik deze functie zou combineren met de 'maand'-vlucht van mijn 300 Squadron op de vliegbasis Deelen. Als reservevlieger kon je toen je vliegvaardigheden bijhouden door een verplicht aantal uren per maand te vliegen.

Ingenieursbureau Ilaco werkte over de hele wereld en was betrokken bij vele omvangrijke landbouwprojecten, en ook bij projecten op het terrein van natuur en milieu.

In deze periode ben ik nog actief geweest bij de eerste toeristische ontwikkelingen van de stad Antalya in Turkije. Ik was daar in 1970, toen er nog nauwelijks sprake was van enig toerisme. Wij wilden Antalya en Turkije ervoor behoeden dat ze de werkelijk prachtige kust zouden ontsieren met allerlei goedkope toeristische voorzieningen die alleen gebouwd werden om het geïnvesteerde geld zo snel mogelijk terug te verdienen. Helaas won hier toch de economie!

Na de Heidemaatschappij liep ik stage bij Akzo, eveneens in Arnhem en vervolgens bij de KLM, op het hoofdkantoor in Amstelveen.

Natuurlijk was ik intussen enorm zoekende naar een echte functie in de maatschappij, want met die stages kon ik vanzelfsprekend niet doorgaan. Bij iedere aankondiging van een nieuwe stage werd immers al openlijk gesproken en geschreven van 'de man die niet kan beslissen wat hij wil doen in het leven' of 'de man van twaalf ambachten en dertien ongelukken'.

Toen werd mij in 1974, tijdens mijn KLM-periode, onver-

wacht door generaal b.d. W. den Toom gevraagd of ik directeur wilde worden van de Stichting Periodieke Veiligheids-
keuringen Motorvoertuigen. Deze stichting was nieuw
en kreeg tot taak de verplichte autokeuring in ons land te
helpen voorbereiden. Maar tijdens de behandeling van het
wetsontwerp van minister Westerterp over deze materie ontstond in 1974 reeds een heftige discussie over welke auto's
nog door de garages mochten worden gekeurd en welke
auto's door een onafhankelijk keuringsstation.

Het wetsvoorstel struikelde in mei 1975 in de Tweede
Kamer over de motie-Van der Doef en De Beer. De strekking van de motie was de autobedrijven te belasten met
de verplichte keuring, waarbij de onafhankelijke keurings-
dienst alleen zou moeten dienen voor beroepszaken, keuringen na een ongeval of voor automobilisten die daar een keuring wilden laten plaatsvinden. Deze gang van zaken stond
de minister echter geenszins voor ogen.

Ook kwam door deze motie een onverwacht snel einde
aan mijn eerste baan en aan het kortstondig bestaan van de
Stichting. Minister Westerterp berichtte de Tweede Kamer
namelijk dat de Stichting PVM met ingang van 15 oktober
1975 zou worden ontbonden.

Ik heb het toen zeer gewaardeerd dat hij mij in datzelfde
jaar heeft gevraagd of ik tijdelijk zijn adviseur wilde worden
op het gebied van de verkeersveiligheid. Voor een terugkeer
naar de stageperioden voelde ik, gelet op alle kritiek daarop,
natuurlijk heel weinig.

Het werkterrein verkeersveiligheid was mij niet geheel
onbekend. Dat kwam vanzelfsprekend door mijn korte betrokkenheid bij de autokeuringen, maar bovendien was ik in
1974 gevraagd lid te worden van het bestuur van Veilig Verkeer Nederland. Overigens was dit adviseurschap bij de minister vanzelfsprekend niet gebaseerd op mijn kennis, maar
meer om mij een helpende hand te bieden.

Als adviseur raakte ik nauw betrokken bij alle negatieve

ontwikkelingen op dit werkterrein. Zo reden er bijvoorbeeld in 1950 nog maar zo'n 139 000 personenauto's in ons land rond, maar die zorgden wel voor 1000 verkeersdoden en 20 000 gewonden per jaar. Tien jaar later kenden wij 522 000 personenauto's, die zorgden voor 2000 verkeersdoden en 50 000 gewonden, en in 1970 waren deze getallen opgelopen naar 2,5 miljoen personenauto's, met 3000 verkeersdoden en 70 000 gewonden!

Een vuist tegen
verkeersonveiligheid

Deze verontrustende en fors stijgende getallen veroorzaakten eigenlijk geen grote beroering in onze samenleving. In januari 1955 sprak prinses Wilhelmina in een radiotoespraak de gedenkwaardige woorden: 'Als zich een ramp op een ander terrein voordoet, spreekt deze tot ons gehele volk en dus ook tot u, en zijn geen offers of moeite u te groot om de getroffenen te hulp te snellen. Dan herleeft onze saamhorigheid als volk. Hoe anders is de mentaliteit bij ongelukken op straten en wegen. Het is alsof een mensenleven daar minder telt en uw solidariteitsbesef niet tot leven komt.'

Maar dat veranderde. In de jaren zestig begonnen de leden van de Tweede Kamer steeds frequenter te pleiten voor een adequate aanpak van de verkeersonveiligheid. Vele moties die beoogden de minister van Verkeer en Waterstaat aan te zetten tot een veel krachtiger beleid op dit gebied werden ingediend. Het zou echter tot 1973 duren totdat een motie van deze strekking Kamerbreed werd aangenomen. Dat was de motie-Van Thijn. Het aantal verkeersdoden was inmiddels opgelopen tot zo'n 3300 per jaar en dat werd de Tweede Kamer te gortig.

De motie was bedoeld om een vuist te maken, een samenbundeling van krachten, gericht tegen de verkeersonveiligheid. Die vuist bestond eruit dat de minister van Verkeer en Waterstaat werd benoemd tot coördinerend minister voor de Verkeersveiligheid. Bovendien werd, om deze coördinerende taak inhoud te kunnen geven, een nieuwe Directie

In 1962, toen ik deel uitmaakte van het Collegium — het bestuur van de Leidsche Studenten Vereniging Minerva, leerde ik Hare Koninklijke Hoogheid prinses Margriet kennen. (Foto: privébezit; afkomstig van Fotobureau Thuring)

Bij onze verloving – 1965 – zat mijn enkel in het gips vanwege een ski-ongeval in 1964 in Leysin. Die enkel is helaas nooit meer goedgekomen.
(Foto: privébezit; afkomstig van Fotobureau Stokvis)

Ons huwelijk in 1967. Veel waarschuwingen zijn hieraan voorafgegaan.
Veel voorspellingen zijn ook uitgekomen. Maar ik zou het overdoen!
(Foto: *De Telegraaf*, gepubliceerd op 10 januari 1967)

Tussen de foto op de vorige pagina en deze foto zit zo'n 38 jaar.
(Foto: R. Taal/Capital Photos)

Onze familie in januari 2007. (Foto: R. Taal/Capital Photos)

Bij de Koninklijke Luchtmacht ben ik eerst als jurist – als reserveofficier academisch gevormd – geplaatst bij het ongevalsonderzoek en vervolgens heb ik bijgetekend om de vliegopleiding op de vliegbasis Gilze-Rijen te volgen. Aan mijn schoonvader heb ik te danken dat ik allereerst – in Hilversum – mijn vliegbrevet heb mogen halen. (Foto links privébezit; afkomstig van Foto D. A. van Loon; foto's onder en rechts: privébezit)

De contacten met de Koninklijke Luchtmacht bleven bestaan,
omdat enerzijds mijn schoonmoeder mij indertijd totaal onverwacht
had gevraagd om haar Adjudant in buitengewone dienst te worden.
En anderzijds vielen later de voorvallen bij Defensie onder het
werkterrein van de Onderzoeksraad voor Veiligheid.
(Foto: ministerie van Defensie/Staf Commando Luchtstrijdkrachten)

Toen ik indertijd de dienstplicht verliet, kon ik geenszins vermoeden
dat ik op 3 april 2009 het 'cijfer 40', behorende bij het Officierskruis,
zou mogen ontvangen op vliegbasis Gilze-Rijen. Dit betekent dat ik
toen veertig jaar als reserveofficier – nu in rang van kolonel – had
gediend. (Foto: ministerie van Defensie/Staf Commando
Luchtstrijdkrachten)

Verkeersveiligheid in het leven geroepen.

Zoals destijds wel vaker zocht men bij het maken van zo'n vuist zijn heil in een coördinatiestructuur, omdat deze werkwijze de autonomie van de betrokken organisaties niet zou aantasten. Dat laatste werd namelijk beschouwd als heiligschennis!

Tijdens mijn adviseurschap bij minister Westerterp, dat duurde van 1975 tot 1977, werd gewerkt aan een nieuw te vormen, onafhankelijk adviescollege voor de verkeersveiligheid.

Westerterp ging voortvarend te werk en gaf ook te kennen dat hij de geschiedenis wilde in gaan als *de* minister voor de Verkeersveiligheid.

Als minister beschikte hij over een eigen adviserend instituut, de Raad voor de Waterstaat. Het was de gewoonte bij zijn departement om beleidsvoornemens aan deze Raad voor te leggen. Adviezen op het gebied van de verkeersveiligheid werden bij de Raad voorbereid door de Commissie Veiligheid Wegverkeer. In deze commissie hadden ook departementsambtenaren zitting. Toen de minister ontdekte dat deze ambtenaren zich bij tijd en wijle tegen zijn beleidsvoornemens opstelden, wat hij weer vernam van zijn eigen Directie Verkeersveiligheid, was dat voor hem aanleiding te besluiten tot de instelling van een nieuw, zelfstandig en onafhankelijk adviescollege, de Raad voor de Verkeersveiligheid. Het onderwerp verkeersveiligheid was vanzelfsprekend ook breder dan het werkterrein van de Waterstaat. Als men het coördinerende ministerschap, waarbij wel zes ministeries waren betrokken, wilde laten slagen, dan zou van meet af aan het onderwerp met een integrale visie moeten worden benaderd.

De nieuwe Raad moest volgens de minister het sluitstuk vormen van een hecht bolwerk, de vuist in de strijd tegen de verkeersonveiligheid.

Vanzelfsprekend sprak ik met de minister over de taak en de komst van dit nieuwe college. Met minister Westerterp heb ik altijd, ook na zijn vertrek, een voortreffelijke verstandhouding gehouden. In onze gesprekken kwam aan de orde of ik een rol in dit nieuwe college zou willen en kunnen vervullen, waarbij werd gedacht aan het voorzitterschap, de secretarisfunctie of een raadslidmaatschap.

De heer Westerterp was de mening toegedaan dat hij als minister van Verkeer en Waterstaat volledig bevoegd was mij te benoemen tot voorzitter van dit nieuwe adviescollege en daar de ministerraad helemaal niet in hoefde te kennen, zeker niet als hij deze Raad in eerste instantie 'voorlopig' zou instellen. Mede gezien mijn leeftijd was hij zeer bereid om mij voor te dragen. Een mening overigens die door de toenmalige minister-president, de heer Den Uyl, geenszins werd gedeeld. Hij vond deze voordracht onaanvaardbaar, net als enkele andere leden van zijn kabinet. Men voelde er weinig voor mij aan een baan te helpen en mijn reputatie, met alleen maar stages zonder verantwoordelijkheden, was geen aanmoediging om zo'n lid van het Koninklijk Huis te benoemen tot voorzitter van dit nieuwe adviescollege. Dat gold ook voor het leidinggeven aan het secretariaat van deze raad.

Het voorzitterschap van de Raad sprak mij persoonlijk zeer aan, omdat dit geheel in lijn lag met de filosofie dat ik gaarne een functie wilde vervullen die niet strijdig was met het functioneren van mijn vrouw. Bovendien betekende deze functie voor mij voor het eerst niet alleen duidelijkheid, maar ook een enorme uitdaging om vanuit het niets een nieuw adviescollege te mogen opstarten.

Maar, zoals reeds opgemerkt, de toenmalige minister-president, de heer Den Uyl, zag niets in mijn benoeming en wilde absoluut meer zekerheden, zeker met betrekking tot een nieuw te benoemen voorzitter. Gelukkig zijn er toen personen geweest die zowel de minister-president als een aantal leden van het kabinet op andere gedachten hebben weten te brengen. Niet alleen over het geven van kansen aan iemand in het algemeen, maar ook over het gegeven dat zekerheden met betrekking tot benoemingen eigenlijk zelden vooraf te geven zijn. Met als gevolg dat ik op 28 september 1977 werd benoemd tot voorzitter van de voorlopige Raad voor de Verkeersveiligheid. Deze benoeming is eerlijk gezegd voor het verloop van mijn verdere leven van zeer grote betekenis geweest.

Het was de taak van de Raad om de regering te adviseren over de hoofdlijnen van het te voeren verkeersveiligheidsbeleid, niet om stil te staan bij de zorg van alledag.

Uitdrukkelijk stelde minister Westerterp in zijn toespraak bij de installatie dat de Raad erop moest toezien dat het onderwerp verkeersveiligheid hoog op de politieke agenda zou blijven staan en daarvoor moest fungeren als waakhond.

Vanzelfsprekend klonk dat destijds als een uitdagende en inspirerende opdracht. Later, toen ik enige ervaring had opgedaan, was het toch een hoogst merkwaardige zin te noemen. Dat een adviescollege moest worden ingesteld om erop toe te zien 'dat het onderwerp verkeersveiligheid hoog op de politieke agenda zou blijven staan'! Er waren toen ruim 3000 verkeersdoden en 70 000 gewonden per jaar. Zulke getallen spreken toch voor zich, zou je zeggen, daar heb je geen adviescollege voor nodig!

Maar in de praktijk bleek de aanpak van de verkeersveiligheid een zeer weerbarstige materie te zijn, waarbij ik nog regelmatig heb moeten terugdenken aan de woorden van prinses Wilhelmina.

Zoals reeds vermeld, werd de Raad in 1977 om te beginnen 'voorlopig' ingesteld. Dat was om tijd te kunnen winnen. De wet die, ingevolge artikel 87 van de Grondwet, nodig was om een blijvende Raad te kunnen instellen, werd pas in 1980 bij het parlement ingediend en werd in 1981 van kracht.

In het parlement bestond in die tijd een zeer grote huiver voor het instellen van nieuwe adviescolleges. Er waren er al vele honderden, die het overheidsfunctioneren naar het oordeel van velen alleen maar belemmerden. Met een 'voorlopige' instelling werd de gang naar het parlement in eerste instantie vermeden. Anderzijds moest de Raad, met zo'n voorlopige instelling, zijn bestaansrecht eerst nog maar eens bewijzen!

De voorlopige Raad werd minimaal uitgerust. Er was slechts een voorzitter, een secretaris en een secretaresse en zo stond de Raad qua uitrusting letterlijk met zijn rug tegen de muur, niet alleen om zijn taak naar behoren te kunnen vervullen, maar eveneens om zichzelf te kunnen bewijzen.

Er is in die periode enorm hard gewerkt en het was dan ook een eer en een vreugde dat het parlement het in 1981 unaniem wenselijk achtte, ondanks de algemene huiver voor het instellen van nieuwe adviescolleges, om een afzonderlijk en onafhankelijk adviesorgaan voor de verkeersveiligheid in het leven te roepen. Het parlement deelde de opvatting van de voorlopige Raad dat verkeersveiligheid, gelet op de betrokkenheid van vele departementen, meer is dan Waterstaat alleen, en dat de consequenties die eraan verbonden zijn diep ingrijpen in een groot aantal facetten van het maatschappelijk leven.

In dit licht was het dan ook onbegrijpelijk dat twee jaar later, in 1983, de commissie-Van der Ploeg alweer adviseerde om de Raad op te heffen, in het kader van de reorganisatie Rijksdienst.

In haar advies stelde de commissie dat de fase van bijzondere aandacht voor de verkeersveiligheid voorbij was, temeer daar op de betrokken beleidsterreinen in de jaren tachtig een grotere aandacht voor dit onderwerp bestond dan in de jaren zeventig het geval was geweest. Een apart adviesorgaan vond men dus niet meer nodig. Een nieuwe Raad voor de Infrastructuur zou in de advisering over de verkeersveiligheid kunnen voorzien, want infrastructuurbeleid diende in brede zin te worden verstaan, dat wil zeggen inclusief de daaraan verwante aspecten veiligheid en milieu.

Jammer genoeg werd de Raad voor de Verkeersveiligheid door de commissie-Van der Ploeg niet gezien als een intersectorale raad, want deze stonden in dit rapport niet ter discussie. Een intersectorale raad was een raad die zijn advisering tot meerdere departementen kon richten. Het probleem bij de Raad voor de Verkeersveiligheid was dat zijn werkterrein wel meerdere departementen betrof, maar de advisering beperkt was tot de coördinerend minister voor de verkeersveiligheid, de minister van Verkeer en Waterstaat.

Natuurlijk kon de Raad zich met deze argumenten niet verenigen. Weliswaar was het aantal verkeersdoden in het begin van de jaren tachtig door een heel aantal factoren, waaronder betere auto's, met circa 30 procent afgenomen, maar nog immer was de verkeersonveiligheid op een onaanvaardbaar hoog peil.

De stelling dat bijzondere aandacht voor de verkeersveiligheid niet langer nodig was, was ook al buitengewoon twijfelachtig, omdat het aantoonbaar was dat een gezamenlijke aanpak op de verschillende beleidsterreinen nog helemaal niet zodanig op gang was gekomen dat de tijd van extra aandacht als voorbij kon worden beschouwd.

Daarnaast was het natuurlijk hoogst merkwaardig dat de commissie-Van der Ploeg met geen woord repte over de argumenten waarmee de Raad in de Tweede Kamer unaniem was aanvaard, wat uniek was omdat, zoals reeds opgemerkt, iedereen in die periode ervan overtuigd was dat het aantal adviescolleges aanzienlijk verminderd moest worden.

Misschien speelde op de achtergrond mee – het is natuurlijk slechts een vermoeden – dat men van die onafhankelijke Raad, van die waakhond, wel weer af wilde.

Onze verstandhouding met het departement en later ook met de toenmalige minister Smit-Kroes (1982-1989) was namelijk verre van sprankelend te noemen.

Allereerst wilde de Raad meer onafhankelijkheid, bijvoorbeeld voor zijn eigen functioneren, terwijl het ministerie de mening was toegedaan dat ieder onderwerp waarover de Raad wilde adviseren, eerst moest worden voorgelegd. Dit gold voor de rapporten en de persberichten van de Raad, maar ook voor de financiering van onze activiteiten.

De Raad was verder naar zijn mening met drie personen veel te krap uitgerust, iets wat door de vakpers werd onderschreven. De Tweede Kamer noemde onze uitrusting zelfs 'een giller'.

Ook had de Raad kritiek op het departement omdat dat niet reageerde op onze adviezen, of pas heel laat – soms na twee jaar – een reactie gaf.

Voorts hadden wij ons uitgesproken voor het behoud van het coördinerend ministerschap. Op het ministerie werd namelijk al in 1980 overwogen om dit weer te laten vervallen. Men vond de verantwoordelijkheid van de minister van Verkeer en Waterstaat vanzelfsprekend. Met uitzondering van minister Westerterp voelde niemand zich gelukkig met het coördinerend ministerschap.

Verkeer en Waterstaat is altijd een 'doe'-departement geweest en men voelde zich geenszins geroepen om met andere departementen te gaan onderhandelen over de verkeersveiligheid. Gelet op het woord 'autonomie' dachten de andere betrokken departementen daar net zo over!

Begin jaren tachtig vond een openlijke aanvaring plaats tussen de Raad en de minister over de hoofddoelstelling van het te voeren verkeersveiligheidsbeleid.

Hoewel altijd zeer emotioneel werd gesproken over het feit dat iedere verkeersdode er een te veel was, was ondertussen de belangrijkste doelstelling van het verkeersveiligheidsbeleid naar onze mening veel te vrijblijvend en slechts gericht op 'het terugdringen en het verminderen' van het aantal verkeersdoden en verkeersgewonden.

De Raad drong erop aan om de hoofddoelstelling te kwantificeren en duidelijk aan te geven wat men binnen vijf of tien jaar wilde bereiken. Vervolgens werd de Raad – ik herinner mij dat nog zeer levendig – op een groot verkeersveiligheidscongres openlijk door de minister voor gek verklaard: 'Wat heb ik aan zo'n adviescollege, dat met dergelijke onzinnige en onuitvoerbare adviezen komt!'

Kortom, de minister van Verkeer en Waterstaat nam het advies van de commissie-Van der Ploeg graag over en besloot om de verkeersveiligheidsadvisering vanaf 1984 onder te brengen bij een adviescollege voor het gehele departement, namelijk de nieuw op te richten Voorlopige Raad voor Verkeer en Waterstaat.

Natuurlijk was dit voornemen voor iedereen die betrokken was bij het werk van de Raad voor de Verkeersveiligheid een uitermate slecht bericht.

Wij realiseerden ons heel goed dat het onderwerp verkeersveiligheid twee sterke tegenstromingen in zich herbergde. Allereerst vroegen verkeersdeelnemers meestal niet om een krachtiger veiligheidsbeleid, omdat vele maatregelen werden gezien als een beperking van de vrijheid. De invoering van de autogordel werd destijds zelfs beschouwd als een inbreuk op de mensenrechten!

Een tweede belangrijke tegenstroom werd gevormd door de verdunning van de problematiek. Het wegbeheer was in die tijd verdeeld over een groot aantal autonome wegbeheerders: 625 gemeenten, twaalf provincies en tachtig waterschappen. Hierdoor verdunden de cijfers, die landelijk gezien hoog waren, zich tot lokale tragedies of incidenten. Daarmee verviel de druk van onderaf op de rijksoverheid om maatregelen te nemen. De vele autonome wegbeheerders zaten immers ook geenszins te wachten op inmenging van de rijksoverheid!

Op grond van deze sterke tegenstromingen was de Raad

van meet af aan de mening toegedaan dat de motieven die aan zijn oprichting ten grondslag hadden gelegen – waaronder de al genoemde waakhondfunctie – nimmer aan kracht hadden ingeboet. De Raad bleef van oordeel dat een nette pressiegroep noodzakelijk was, omdat het onderwerp verkeersveiligheid ook op het ministerie zeer gemakkelijk het onderspit kon delven te midden van de vele andere maatschappelijke zorgen.

Natuurlijk was het voorzitterschap van de Raad mijn eerste echte baan, en als zodanig een reden te meer om voor het behoud ervan te vechten. Maar de eerlijkheid gebiedt mij hier wel op te merken dat de veelal negatieve reacties op onze adviezen vanuit zowel het ministerie als vanuit de samenleving, en de moeizame verhouding met het departement, de enorme onderbezetting van ons secretariaat en de opheffingsvoorstellen voor mij wel regelmatig reden zijn geweest om me oprecht af te vragen: 'Voor wie doe ik dit werk eigenlijk?'

Mijn diepste motivatie om met de strijd tegen de onveiligheid in het verkeer bevlogen door te gaan, kwam voort uit mijn aanvankelijk zeer toevallige contacten met gehandicapte sporters.

In 1977 werd het Nationaal Fonds Sport Gehandicapten opgericht. Mij werd gevraagd of ik mede mijn schouders zou willen zetten onder het welslagen van dit Fonds.

Zo mocht ik ervaren dat 65 procent van alle jonge sporters zijn of haar handicap te wijten had aan een verkeersongeval!

Deze confrontatie met verkeersslachtoffers, van wie niemand met vreugde dacht of sprak over wat hem of haar was overkomen, is voor mij altijd de reden geweest om door te gaan met de strijd tegen de verkeersonveiligheid. Hun leed was echt te groot. Bovendien kwamen de volledig aan hun lot overgelaten verkeersslachtoffers destijds terecht in een doolhof van instanties. Mijn ontmoeting met deze gehandicapten heeft heel veel voor mijn strijdlust betekend en is later ook de reden geweest dat ik mij ben gaan inzetten voor slachtofferhulp in het algemeen.

In 1980 had ik een tweede ontmoeting die voor mijn verdere leven van grote betekenis is geweest. Ik bracht toen een werkbezoek aan Amerika, samen met de secretaris-generaal van het ministerie van Verkeer en Waterstaat, ir. P.C. de Man, en de directeur van de Directie Verkeersveiligheid, drs. P. Allewijn. Wij wilden ons oriënteren op de strijd tegen de verkeersonveiligheid in Amerika, want ook daar waren de ongevallencijfers toen zeer hoog. Later trof ik daar in hun Safety Priorities Plan nog het volgende over aan:

In the 200 year history of the United States, the Nation has lost between 600-700 thousand citizens in armed conflicts. Yet, in less than half that time, we will have lost 4-5 times that amount through traffic casualties. In the next 5 years alone (1983-1987) the Nation will witness more deaths through motor vehicle crashes than it witnessed in the entirety of World War II. And this year (1983) alone, more people will die in our Nation's public streets than were killed in 14 years fighting in Vietnam.

Tijdens dit bezoek maakte ik onder andere kennis met de activiteiten van de National Transportation Safety Board. Deze NTSB was in 1967 door het Amerikaanse Congres opgericht om onderzoek te doen naar de oorzaken van ongevallen en incidenten in alle transportsectoren, dus luchtvaart, scheepvaart, spoor- en wegverkeer, maar ook in buisleidingen. Hierbij moet worden gedacht aan tunnels, maar met name aan transportleidingen voor bijvoorbeeld olie of gas.

In eerste instantie maakte de NTSB deel uit van het Department of Transportation (DOT), maar in de praktijk zag men al direct spanning optreden tussen de NTSB en het

DOT. De NTSB keek bij zijn ongevallenonderzoek namelijk ook naar het functioneren van afdelingen van het DOT, met als reactie dat men daar politieke invloed begon uit te oefenen op benoemingen binnen de NTSB. Dit tot ergernis van het Congres. Uiteindelijk leidde de angst voor de publieke opinie over een mogelijke belangenverstrengelingen tussen beide organisaties tot een volledige afsplitsing van de NTSB in 1974.

'No Federal Agency can properly perform investigation of accidents, unless it is totally separate and independent from any other department, bureau, commission or agency of the United States,' verklaarde het Amerikaanse Congres hierover.

Bij mij sprong direct een vonk over. Ik was van het begin af aan enorm geïnspireerd door het werk van de NTSB, en dan vooral door de filosofie erachter: als je de veiligheid daadwerkelijk wilt verbeteren, toon de maatschappij dan de spiegel van de werkelijkheid! Want als dat niet helpt, dacht ik, wat helpt dan nog wel?

Ik raakte er volledig van overtuigd dat een gedegen onderzoeksrapport naar aanleiding van een ongeval of een ernstige gebeurtenis veel meer kon betekenen voor een verbetering van de veiligheid, dan het uitbrengen van beleidsadviezen.

Geen gezeur meer of wij adviezen al dan niet mochten uitbrengen of welke adviezen op prijs werden gesteld, geen discussies meer over onafhankelijkheid.

Direct na mijn terugkeer heb ik de Raad weten te overtuigen van het nut van onderzoek naar ongevallen voor de verbetering van de verkeersveiligheid, en overigens ook van de veiligheid in het algemeen, met als gevolg dat de Raad voor de Verkeersveiligheid reeds op 15 juli 1980 de minister van Verkeer en Waterstaat adviseerde diepgaand onderzoek van zeer ernstige verkeersongevallen ter hand te nemen. Naar het oordeel van de Raad zouden de resultaten van dit multidisciplinaire onderzoek bijdragen aan de strijd tegen de verkeersonveiligheid.

Maar de reactie was dat een dergelijk onderzoek voor het wegverkeer onmogelijk werd geacht, met name vanwege het grote aantal ongevallen. Bovendien vond men het overbodig, omdat er al veel wetenschappelijk onderzoek naar de onveiligheid in het wegverkeer werd gedaan. Op de waarde van de onderzoeken van de NTSB in Amerika werd in het antwoord verder niet ingegaan.

Natuurlijk was deze reactie teleurstellend. Maar gelukkig heeft het de Raad er niet van weerhouden om op 16 maart 1983 een brief te schrijven naar de minister van Verkeer en Waterstaat over het nut van het beschouwen van de veiligheidsaspecten van de verschillende vervoerssystemen in onderling verband. Met deze brief hoopten wij enige belangstelling van de minister voor dit onderwerp te wekken.

Hoe belangrijk dit was, had ik namelijk niet alleen mogen ervaren op het symposium 'Veiligheid der Vervoerssystemen', dat in 1978 werd georganiseerd op de Technische Universiteit Delft. De kennismaking met de activiteiten van de NTSB vormde een volledige herbevestiging van het gegeven dat een integrale aanpak van de onveiligheid bij de verschillende vervoerssystemen uitermate zinvol was. Inmiddels had ik ook contacten gelegd met de Raden voor de luchtvaart, scheepvaart, spoorwegongevallen en de commissie Binnenvaartrampenwet om te bezien of een nauwere samenwerking in de toekomst gerealiseerd zou kunnen worden. Een dergelijke bundeling van krachten paste naar mijn mening ook volledig binnen de discussie over de vele externe adviesorganen in het algemeen. Onderzoeksraden zijn weliswaar geen adviesorganen, maar als iedere sector over zijn eigen onafhankelijke onderzoeksorganisatie zou gaan beschikken, kwam je vanzelfsprekend in dezelfde discussie terecht.

Heel verrassend woonde de minister in september 1983

een eerste overleg over dit onderwerp bij, in aanwezigheid van alle voorzitters. En in dit overleg stelde de minister zich niet op voorhand negatief op over een nauwere samenwerking tussen de verschillende raden. Maar na een later overleg in november liep het gesprek hierover, ondanks de positieve opstelling van de Spoorwegongevallenraad en de Raad voor de Verkeersveiligheid, al vrij snel volledig vast.

Het nut van integraal veiligheidsdenken werd nauwelijks ingezien: 'Wat heeft luchtvaart te maken met scheepvaart, of met wegverkeer, en vice versa?'

De Raad voor de Verkeersveiligheid had geen taak op het gebied van ongevalsonderzoeken en wist dus volgens de andere colleges eigenlijk niet waarover hij sprak. De Raad voor de Luchtvaart en die voor de Scheepvaart kenden tuchtrechtelijke bevoegdheden en de andere colleges niet. Kortom, het werd gezien als zonde van de tijd om dit overleg voort te zetten. Het nut van een Nederlandse Raad voor de Transportveiligheid, vergelijkbaar met de Amerikaanse NTSB, zag men niet in, gezien de aanwezigheid van goed functionerende sectorale raden in Nederland.

Overigens was het voor mij zeer verheugend en ook buitengewoon onverwacht, dat ik in 1984 door de Spoorwegongevallenraad werd benaderd voor het voorzitterschap. Een verzoek waar ik natuurlijk graag gevolg aan heb willen geven en waartegen, eigenlijk tot mijn grote verbazing, ministerie noch minister bezwaar hebben gemaakt.

In 1985 kwamen de Kamerleden Jeltje van Nieuwenhoven en Wim Mateman met de motie dat de Raad voor de Verkeersveiligheid afzonderlijk moest blijven voortbestaan. Deze motie werd ingediend naar aanleiding van het advies van de commissie-Van der Ploeg die, om het aantal adviesorganen te verminderen, ook de Raad voor de Verkeersveiligheid had willen opheffen. Aangezien dit Kamerstuk destijds was ingediend door de toenmalige minister van Binnenlandse Zaken, de heer Rietkerk, was het nu ook de heer Rietkerk die reageerde op deze motie en niet de minister van Verkeer en Waterstaat! Hij gaf aan dat de RVV een onderraad zou worden van de nieuwe Raad voor Verkeer en Waterstaat en dat dit, wat hem betreft, voldoende waarborgen gaf voor de verkeersveiligheid.

Inmiddels hadden ook de minister van Verkeer en Waterstaat en het departement deze gedachte omarmd. Zij waren volop bezig om alle bestaande adviescolleges bij Verkeer en Waterstaat te integreren en te laten opgaan in de nog op te richten (voorlopige) Raad voor Verkeer en Waterstaat.

Maar de Raad voor de Verkeersveiligheid voelde er niets voor om aan zijn eigen opheffing mee te werken. De gesprekken hierover, die onder leiding stonden van de oud-minister-president, de heer Barend Biesheuvel, verliepen moeizaam en waren soms ook buitengewoon onplezierig te noemen.

Wij zagen voor de verkeersveiligheid geen heil in deze nieuwe raad en voelden er absoluut niets voor om de Raad vrijwillig op te geven, ook al was het een kabinetsvoornemen. Als de Raad voor de Verkeersveiligheid moest worden opgeheven, dan diende de minister daarvoor naar onze mening de instemming te krijgen van de Tweede Kamer in plaats van dit met ons onderhands te regelen.

Ons standpunt viel absoluut niet goed. Ook later heeft de heer Biesheuvel mij nog eens gezegd dat hij het onbegrijpelijk had gevonden dat ik, als lid van het Koninklijk Huis, mij zo tegen een kabinetsbesluit had opgesteld. Hij vond dat ongepast en niet gezagsgetrouw.

In dezelfde jaren dat ik in de Tweede Kamer en daarbuiten pleitte voor het voortbestaan van de Raad voor de Verkeersveiligheid, deed ik dat eveneens voor de komst van een Nederlandse Raad voor de Transportveiligheid. Een bundeling van krachten met veiligheid als gemeenschappelijke noemer. Ikzelf, maar gelukkig ook de Raad voor de Verkeersveiligheid, was ervan overtuigd dat een nauwere samenwerking tussen de verschillende transportsectoren een steun zou zijn voor het veiligheidsbewustzijn in de politieke besluitvorming en uiteindelijk in onze maatschappij als geheel. Ambtelijk bestond voor deze visie van de Raad geen enkele acceptatie. Daarvoor was de verkokering, ook binnen het departement, veel te groot.

Het coördinerend ministerschap was, zoals reeds opgemerkt, kort na 1980 geruisloos verdwenen en de speciale Directie Verkeersveiligheid werd in 1988 weer geïntegreerd in de Rijkswaterstaat. Kortom, de motie-Van Thijn uit 1973, die juist een vuist wilde maken tegen de verkeersonveiligheid, was op het ministerie nooit echt aanvaard. Hieruit bleek nog eens dat afgedwongen reorganisaties, bewerkstelligd via moties, toen door het departement niet erg op prijs werden gesteld.

Ons lustrum, het tienjarig bestaan van de Raad in 1987, was bepaald geen feest te noemen. Minister Smit-Kroes was er overigens wel. Zij vierde het vooruitzicht van integratie in een groter geheel, terwijl de Raad van mening bleef dat de overwegingen die aan zijn instelling ten grondslag hadden gelegen – het zijn van een kritische waakhond – in de tien jaar van zijn bestaan niets aan waarde hadden ingeboet. Verder hield de Raad een pleidooi voor onderzoek naar ongevallen in het wegverkeer en tevens naar de mogelijke instelling van één Nederlandse Raad voor de Transportveiligheid. Na afloop van de toespraken speelden Louis van Dijk en ik op twee vleugels 'Lady Be Good'.

Terugblikkend moeten we vaststellen dat het voor alle aanwezigen een behoorlijk pijnlijke bijeenkomst was.

Zo trokken de Raad en het departement tegen elkaar ten strijde, waarbij de Tweede Kamer eigenlijk van meet af aan openstond voor een mogelijke bundeling van krachten met het woord 'veiligheid' als gemeenschappelijke noemer. Het parlement is door de jaren heen trouw gebleven aan zijn oordeel over de noodzaak van een Raad voor de Verkeersveiligheid.

Met de komst van minister Maij-Weggen in 1989 veranderde er voor de Raad voor de Verkeersveiligheid veel, in positieve zin.

Bij ons eerste kennismakingsgesprek op het ministerie, waarbij enkele ambtenaren aanwezig waren, ontstond tussen mij en de aanwezige ambtenaren een heftige ruzie over de door hen gewenste integratie.

Ik zei toen: 'Als je geen belangstelling hebt voor het onderwerp verkeersveiligheid – zoals dat bij het departement het geval is – dan kun je de verkeersveiligheid zeker integreren bij de nieuwe Raad voor Verkeer en Waterstaat. Maar als het onderwerp je ter harte gaat, dan moet je de Raad voor de Verkeersveiligheid afzonderlijk laten voortbestaan. Zo'n Raad voor Verkeer en Waterstaat heeft toch bijvoorbeeld geen belangstelling voor de verbetering van de positie van verkeersslachtoffers, die heeft het departement tot op heden ook nog nooit gehad. Dus dan krijg je zo'n onderwerp binnen die Raad niet eens op de agenda!' Met andere woorden, zij wisten niet waarover zij spraken.

Het ging er absoluut heftig aan toe en dat kwam heel eerlijk gezegd doordat ik het gevoel had dat ik niets meer te verliezen had. Reeds vijf jaar, vanaf 1984, had ik met de vorige minister en met de heer Biesheuvel uitvoerig over het voortbestaan van de Raad gesproken, en bovendien was ik door een aantal Europarlementariërs gewaarschuwd voor de komst van minister Maij-Weggen. Zij zou zeker niet gemakkelijker zijn dan mevrouw Smit-Kroes. Kortom, ik dacht dat dit voor mij min of meer mijn 'hello and goodbye'-gesprek zou zijn. Maar totaal onverwacht – ook voor de ambtenaren overigens – koos de nieuwe minister in dit gesprek mijn kant. Zij bleek mijn standpunt over de verkeersveiligheid en het belang van het voortbestaan van de Raad te delen.

Later, in het laatste verslag van de Raad voor de Verkeers-veiligheid, zou zij hierover schrijven dat het onderwerp ver-keersveiligheid haar altijd het meest had beroerd en dat dat wellicht iets te maken had met haar ervaring in de prakti-sche gezondheidszorg, waarin zij in de jaren zestig een aan-tal jaren had gewerkt: 'De ontreddering van de naaste fami-lie wanneer een kind, een broer of zus, een vader of moeder plotseling omkomt in het verkeer is me altijd bijgebleven.'

Ook een bundeling van krachten met veiligheid als ge-meenschappelijke noemer in een Raad voor de Transport-veiligheid, naast de nieuwe Raad voor Verkeer en Water-staat, vond de nieuwe minister iets dat nader bekeken en onderzocht zou moeten worden.

Het gesprek met de nieuwe secretaris-generaal, de heer ir. drs. H.N.J. Smits, die ook in 1989 was gekomen, verliep eveneens totaal anders en veel positiever dan met zijn voor-gangers het geval was geweest.

Natuurlijk stelde ik ook hem op de hoogte van het reilen en zeilen van de Raad voor de Verkeersveiligheid en de ver-houdingen met het Departement, alsmede van mijn ge-dachte om in Nederland te komen tot de instelling van een Raad voor de Transportveiligheid. In Amerika had de NTSB inmiddels zijn nut en gezag op het gebied van veiligheid aangetoond, waarom zou Nederland zo'n bundeling van krachten niet overwegen? Waarom zouden wij met vijf ver-schillende sectorale raden moeten doorgaan? Het ministerie was zelf immers bezig de krachten te bundelen in de nieuwe Raad voor Verkeer en Waterstaat, waarom dan niet ook bij de ongevallenraden?

Ik zei hem dat hij dit echt voor Nederland moest laten on-derzoeken: 'En als ik gek ben, ga ik weg, maar als ik gelijk heb, dan moeten die ambtenaren maar vertrekken! Het de-partement wil toch van mij af, dus grijp je kans...!'

De heer Smits vond dit wel een aantrekkelijke gedachte – ik weet nog steeds niet welk gedeelte van mijn voorstel hem nu het meest aansprak – en was, evenals de minister, zeer bereid een studie op dit gebied te laten verrichten.

In juli 1990 stelde minister Maij-Weggen de Tweede Kamer voor de Raad voor de Verkeersveiligheid te laten voortbestaan.

Minister Smit-Kroes had in juni 1989 haar wetsvoorstel ingediend met betrekking tot de instelling van een Raad voor Verkeer en Waterstaat. Hierbij zou de Raad voor de Verkeersveiligheid worden opgeheven. Maar bij de eerste behandeling van dit wetsvoorstel door de nieuwe minister drongen diverse Kamerleden aan op het handhaven van de Raad voor de Verkeersveiligheid. Daarbij werd gewezen op de motie-Mateman en Van Nieuwenhoven, die inmiddels was aangenomen.

In haar memorie van antwoord geeft minister Maij-Weggen begin juli 1990 aan dat zij, in tegenstelling tot haar voorgangster, van zins was gevolg te geven aan deze motie en het wetsvoorstel in die zin zou aanpassen. Op grond hiervan besloot de Tweede Kamer in 1991 om de Raad voor de Verkeersveiligheid te handhaven. De Eerste Kamer volgde in 1992. Het parlement drong er bij de minister op aan de Raad voor de Verkeersveiligheid te laten evalueren. Bovendien verzocht men de minister te onderzoeken of een verbreding naar de totale transportsector zinvol was. Uit deze verzoeken blijkt wel dat mijn contacten met de leden van het parlement altijd uitstekend zijn geweest.

Eerlijk gezegd is mijn hele veiligheidspad geplaveid geweest met moties van de Tweede Kamer, omdat steun van het departement voor het onderwerp veiligheid toch wel vaak ontbrak. Vanzelfsprekend nam het ministerie mij mijn gelobby in de Tweede Kamer niet in dank af.

Als prachtig voorbeeld van mijn weinig florissante verhouding met het ministerie van Verkeer en Waterstaat vond ik de nota van de directeur Juridische Zaken, mr. V.J.M. Koningsberger, die alle diensten van het departement waarschuwt voor mijn voorstel aan de minister om de Raad voor de Verkeersveiligheid en de Spoorwegongevallenraad te laten evalueren. Ik geef hier de volledige tekst van die nota weer, al stond onze Raad destijds vanzelfsprekend niet op de verzendlijst. Maar gelukkig stuurde een medewerker van het departement – een 'klokkenluider' – ons secretariaat een kopie van deze nota toe.

Zo konden wij niet alleen lezen hoe negatief het departement stond ten opzichte van een mogelijk in te stellen Raad voor de Transportveiligheid, maar beseften wij eens te meer dat het ook voor een minister soms knap ingewikkeld is om een koersverandering binnen een departement aan te brengen.

Aan de DG RWS, DG V, DG SM, DG RLD
C.c.: SG, plv. SG, COWBJ, leden werkgroep AOF

Datum: 17 maart 1992
Onderwerp: Evaluatie Raad voor de Verkeersveiligheid; eventuele verbreding tot Raad voor de transportveiligheid

In aansluiting op mijn mededeling in de jongste vergadering van de Beleidsraad, attendeer ik u op het volgende:

Bij zijn hierbij in kopie gevoegde fax (met bijlagen) d.d. 21 januari 1992 vroeg mr. P. van Vollenhoven de Minister o.a. om een evaluatie van de Raad voor de Verkeersveiligheid en van de Spoorwegongevallenraad. Bij deze evaluatie zouden naar zijn oordeel ook de andere raden, werkzaam in de sfeer van de transportveiligheid, betrokken dienen te worden (Raad voor de Luchtvaart, Raad voor de Scheepvaart, Commissie Binnenvaartrampenwet).

Uit zijn fax valt af te leiden, dat de heer Van Vollenhoven de door hem bedoelde evaluatie zou willen doen uitmonden in de vorming van een Raad voor de Transportveiligheid.

De Minister heeft de heer Van Vollenhoven bij (een door RWS opgestelde) brief van 5 maart jl. doen weten, in te stemmen met zijn voorstel tot evaluatie van de Raad voor de Verkeersveiligheid en van de Spoorwegongevallen- raad.

In de hierbij in kopie gevoegde brief wordt voorts opgemerkt: 'In het verlengde hiervan past een oriëntatie op voor- en nadelen van vergaande integratie resp. overkoepeling van overige veiligheidsraden en andere veiligheidssectoren.'

Uit de brief valt af te leiden, dat het – op korte termijn te starten – evaluatie-onderzoek door McKinsey zal worden verricht. Het onderzoek zal worden begeleid door een begeleidingsgroep, waarin mede enkele vertegenwoordigers van het ministerie zitting zullen hebben.

De ideeën inzake de vorming van een Raad voor de Transportveiligheid hebben uw diensten tot nu toe weinig weten te bekoren; de situatie met betrekking tot de veiligheid bij de onderscheiden transportsystemen werd te verschillend geacht om een overkoepelende raad toegevoegde waarde te doen hebben.

De heer Van Vollenhoven zal McKinsey bij het onderzoek ongetwijfeld met raad en daad terzijde staan.

Zo u eveneens bij (de begeleiding van) het onderzoek betrokken wenst te worden, zult u de nodige actie moeten doen ondernemen.

De Directeur Juridische Zaken,
(mr. V. J. M. Koningsberger)

Inderdaad had ik secretaris-generaal Hans Smits voorgesteld om de evaluatie door McKinsey te laten doen. Met dit bureau had ik – als voorzitter van de Stichting Maatschappij, Veiligheid en Politie – goede ervaringen opgedaan met een onderzoek naar het functioneren van de politie en naar mijn mening beschikte het over een goed gevoel voor veiligheidsonderwerpen. Maar vanwege de spanningen binnen het departement over de mogelijke komst van een Raad voor de Transportveiligheid zag McKinsey van de opdracht af. Men wilde de goede verhoudingen met het departement niet in gevaar brengen.

Hierop heeft de minister op verzoek van de Tweede Kamer en de Raad voor de Verkeersveiligheid aan KPMG de opdracht verleend om een breed evaluatieonderzoek in te stellen. Deze evaluatie verscheen in mei 1993 onder de titel 'Goede raad is niet duur. Een evaluerend onderzoek naar het functioneren van de Raad voor de Verkeersveiligheid en de Spoorwegongevallenraad in het licht van toekomstige ontwikkelingen op het gebied van transportveiligheid'.

Natuurlijk was ik buitengewoon nieuwsgierig naar het oordeel van KPMG over het functioneren van de Raad voor de Verkeersveiligheid. Wij leefden immers al zes jaar onder het juk van een mogelijke opheffing en dat was absoluut geen stimulerend gegeven voor onze medewerkers en raadsleden.

KPMG kwam tot onder andere de volgende conclusies:

De Raad voor de Verkeersveiligheid kenmerkt zich door een grote mate van onafhankelijkheid. Conform zijn taakopdracht gedraagt de Raad zich als waakhond die blaft of als horzel die steekt als hij dat nodig vindt. Daardoor ontstaat weleens een spanningsveld tussen Raad en ministerie. Aangezien de Raad publicitair zeer actief is, heeft de snelle openbaarmaking van de adviezen met enige regelmaat tot problemen met het ministerie geleid. In het algemeen is de Raad er echter in geslaagd een redelijk evenwicht te vinden tussen 'hinderlijk' volgen en 'opbouwend signaleren'.

De Raad brengt gevraagd of ongevraagd advies uit over de hoofdlijnen van beleid. Van 1977 tot en met 1992 heeft de Raad in totaal 53 adviezen uitgebracht, waarvan er twintig formeel gevraagd waren. Men zou kunnen zeggen dat het onderscheid tussen gevraagde en ongevraagde adviezen in de loop der tijd wat verwaterd is. Toch hebben wij de indruk gekregen dat de belangstelling van het ministerie voor het oordeel van de Raad door de jaren heen matig is geweest, waardoor men het werkprogramma grotendeels aan de Raad heeft overgelaten. Van enige invloed van andere ministeries is al helemaal niets te merken. In de vijftien jaar van zijn bestaan is de Raad in vijf jaren geen enkel advies gevraagd. De minister van Verkeer en Waterstaat wordt geacht op elk advies een reactie te geven, zo nodig mede namens de andere betrokken ministers. In de beginjaren bedroeg de reactietijd tussen de één en twee jaar, maar later komen de meeste reacties binnen een halfjaar. Inhoudelijk variëren de reacties aanzienlijk: van nietszeggend tot zeer uitvoerig. Opvallend is dat op negen adviezen nooit een formele reactie is gekomen; overigens rappelleert de Raad niet consequent. Naar onze mening kan de wisselwerking tussen Raad en ministerie sprankelender zijn. Het ministerie laat kansen liggen om de Raad in de goede zin des woords te gebruiken. De Raad zou een meer expliciete strategie kunnen hanteren voor het beïnvloeden van de agenda en de besluitvorming.

De samenstelling van de Raad is de afgelopen zes jaar gedurende discussie over het al of niet zelfstandig voortbestaan 'bevroren' geweest, hetgeen een negatieve invloed heeft gehad op de motivatie van enkele leden. Desondanks is de 'productie' op peil gebleven. Begin

1993 is de Raad grotendeels vernieuwd; de samenstelling is door de jaren heen geschakeerd geweest, waardoor een goede 'voeling met de samenleving' is bereikt. De voorzitter is een 'Bekende Nederlander' die een apolitiek stempel op het werk van de Raad drukt. Zijn imago is overwegend zeer positief: hij kent niet alleen zijn zaakjes, maar is tevens een uitstekend ambassadeur die deuren opent en aandacht krijgt.

De Raad heeft duidelijk invloed gehad op een aantal onderdelen van het verkeersveiligheidsbeleid. Te noemen zijn: concrete taakstelling bij het terugdringen verkeersonveiligheid, puntenstelsel voor verkeersdelicten, permanente verkeerseducatie, ongevalszorg, diepgaand onderzoek van ernstige verkeersongevallen, en samenwerking in Europa met enkele zusterraden.

Doordat de ontwikkelingen zo langzaam gaan, heeft de Raad een lange adem moeten hebben en is hij met enige hardnekkigheid op bepaalde onderwerpen voortdurend teruggekomen.

Tot slot de vraag of de Raad eigenlijk wel adviseert over de hoofdlijnen van het verkeersveiligheidsbeleid. Het antwoord dient naar onze mening positief te zijn en wel omdat de Raad:

Commentaar geeft op alle belangrijke beleidsstukken die over verkeersveiligheid het licht zien, waarbij de problematiek steeds in perspectief wordt geplaatst;

Een breed scala aan onderwerpen behandelt, waarbij adviezen op elkaar voortbouwen en de onderwerpen met elkaar in verband worden gebracht;

Ook waar hij specifieke onderwerpen (sommigen zouden zeggen: details) behandelt, wordt getracht deze te plaatsen in het geheel van mogelijke maatregelen.

Het oordeel over het functioneren van de Raad voor de Verkeersveiligheid kan zonder meer positief zijn.

Over de Spoorwegongevallenraad was het rapport gewoon tevreden: het college had goed gefunctioneerd en de aanbevelingen van de SOR werden voor het merendeel overgenomen.

Over een bredere samenwerking tussen de transportonderzoeksraden werd kort samengevat het volgende geschreven:

Ambtelijke onderzoekers en ongevallenraden in de sectoren onderhouden weinig onderlinge contacten. Internationale contacten worden primair onderhouden door onderzoekers binnen een sector.

Samenwerking tussen transportsectoren en uitwisseling van kennis en ervaring op het punt van veiligheid is gewenst om de historisch gegroeide segmentering te doorbreken. Dit geldt voor het (ongevals)onderzoek op advies-, inspectie- en beleidsniveau.

In de scheepvaart-, luchtvaart- en railsector bestaan onafhankelijke ongevallenraden, waarvan de bevoegdheden en werkwijzen op een aantal punten verschillen. Die verschillen kunnen vanuit historische en internationale ontwikkelingen worden verklaard. Het is echter gewenst dat deze verschillen worden weggewerkt en dat de aanpak van het ongevalsonderzoek wordt geharmoniseerd.

Inspectiediensten richten zich in het bijzonder op controle van de naleving van regelgeving en worden niet als geheel onafhankelijk gezien. Vooronderzoek van ongevallen dient te geschieden onder verantwoordelijkheid van een ongevallenraad (zoals inmiddels geëffectueerd in de luchtvaartsector). In de scheepvaart- en spoorwegsector dient deze werkwijze overgenomen te worden.

Er zijn momenteel ontwikkelingen gaande die een unieke mogelijkheid bieden om samenwerking op gang te brengen. Zowel de Schepenwet als de Spoorwegwet zijn aan herziening toe, met bijbehorende consequenties voor het ongevallenonderzoek.

Teneinde de ontwikkelingen in de sectoren niet los van elkaar te laten verlopen, dient een bundeling van de bestaande raden tot stand te worden gebracht met behoud van ieders bevoegdheden.

Er dient een 'voorzittersoverleg' in het leven te worden geroepen, waarin de voorzitters en vicevoorzitters van de bestaande raden zitting hebben, en dat als stuurgroep kan fungeren voor een project 'Transportveiligheid'. In dit project worden nadere voorstellen voor bundeling van raden, bundeling van vooronderzoekers en wets-aanpassing in onderlinge samenhang uitgewerkt.

Het ministerie dient via een waarnemer bij het voor-zittersoverleg te zijn betrokken.

In verband met de visie van de Tweede Kamer op adviesraden dient de taak en positie van de Raad voor de Verkeersveiligheid in het project speciale aandacht te krijgen.

Het project dient binnen één jaar te resulteren in een rapport, op basis waarvan concrete stappen kunnen worden gezet op het punt van samenwerking tussen de transportsectoren.

Hoewel de voorstellen in dit rapport zijn gericht op trans-portveiligheid, zijn zij in beginsel eveneens toepasbaar op niet-transportsectoren, zoals industriële veiligheid. Dit biedt de mogelijkheid het leerproces verder te verbreden.

KPMG was er in zijn onderzoeksrapport dus absoluut van overtuigd dat een intensievere samenwerking tussen de raden een aantal voordelen met zich mee zou brengen. Harmo-nisatie van procedures in ongevalsonderzoeken zou bijvoor-beeld meer duidelijkheid scheppen voor politiek, bestuur, transportbedrijven en publiek. Intussen was er al een samenwerking tussen de Spoorwegongevallenraad en de Raad voor de Verkeersveiligheid en die verliep naar beider tevredenheid. Maar ondanks de voordelen waarschuwde het adviesbureau dat een brede samenwerking niet zomaar tot stand zou kunnen komen, omdat een aantal sectoren zeer afwijzend stond tegenover het samengaan van de ongevallenraden.

Ondanks deze terughoudendheid adviseerde de begeleidingscommissie van KPMG, die bestond uit mevrouw M.H. M.F. Gardeniers-Berendsen (lid van de Raad van State), mevrouw drs. M.V.M. Vos-van Gortel (lid van de Raad van State), dr. J.C. Terlouw (commissaris van de Koningin in Gelderland) en W. Meijer (lid van de Raad van Beheer Rabobank Nederland), de minister op grond van de uitkomsten van het rapport direct met het proces van bundeling van start te gaan. Na overleg met de verschillende raden en de begeleidingscommissie schreef de minister in oktober 1993 een brief aan de Kamer, waarin zij aankondigde stappen te willen ondernemen om een samengaan van de verschillende ongevallenraden te bewerkstelligen.

Internationale contacten

Na het voor mij zo belangrijke werkbezoek aan Amerika in 1980 heb ik altijd contact gehouden met de National Transportation Safety Board. Niet alleen met de verschillende voorzitters, maar met name met Barry M. Sweedler. Toen ik hem in 1980 ontmoette, was hij reeds belast met de 'Recommendations Department'. Hij vormde het geheugen van de NTSB en kende alle organisaties waarmee de NTSB had samengewerkt of die de NTSB had onderzocht.

Via Barry Sweedler maakte ik later kennis met John Stants, een vlieger van de Canadese luchtmacht met een ruime ervaring op allerlei militaire vliegtuigen, die ook vertrouwd was met het militaire ongevallenonderzoek. Na de luchtmacht werkte hij lange tijd in de civiele luchtvaart. Ons contact was van meet af aan zeer hartelijk, ook al omdat hij gedurende de oorlogsjaren in Zeist had gewoond. Stants werd in 1990 benoemd tot eerste voorzitter van de nieuw opgerichte Transportation Safety Board of Canada.

Ook maakte ik kennis met Olof Forssberg, die in 1990 als eerste voorzitter was benoemd van de Zweedse Statens Haverikommission (SHK). Deze organisatie werd opgericht in mei 1990 en is belast met het onafhankelijk onderzoek in alle sectoren.

In 1983 ontmoette ik de voorzitter en de directeur van de Deutsche Verkehrssicherheitsrat, de heren Schork en Warnke. Dat gebeurde op een bijeenkomst van het regionaal orgaan verkeersveiligheid in Friesland. Hoe het gekomen is, weet ik absoluut niet meer, maar daar ter plekke spraken wij af ons gezamenlijk te gaan inzetten voor een Europees jaar voor de Verkeersveiligheid.

In Europa was sinds 1970 sprake van een miljoen verkeersdoden en dertig miljoen 'geregistreerde' verkeersgewonden, maar de aanpak van de verkeersonveiligheid werd destijds nog beschouwd als een nationale aangelegenheid.

Tot onze grote verbazing werd 1986 reeds uitgeroepen tot het Europese Jaar voor de Verkeersveiligheid. Maar een succes was het niet. Bij de evaluatie waren de leden van het Europees Parlement er zeer ontevreden over. Men vond dat veel meer had kunnen en moeten gebeuren. Ook in ons land waren velen de mening toegedaan dat de inspanningen beperkt leken te zijn gebleven tot het plakken van stickers.

Maar dankzij dit Europese jaar en door bemiddeling van Laurens Jan Brinkhorst (die in 1989 directeur-generaal was bij de Commissie van de Europese Gemeenschappen voor Milieuzaken en Nucleaire Veiligheid) leerde ik de EU-commissaris voor Transport, Karel Van Miert, kennen. Naar aanleiding van deze boeiende ontmoeting – Van Miert was een buitengewoon inspirerende persoonlijkheid – vroeg hij mij in 1990 of ik een onderzoek wilde instellen naar de mogelijkheden van een onafhankelijke adviesraad voor de transportveiligheid voor de Europese Unie.

Dit onderzoek moest worden verricht in samenwerking met enkele buitenlandse adviesraden. Ik heb het uitgevoerd met vanzelfsprekend de Duitse zusterorganisatie, de DVR, en de Engelse Parliamentary Advisory Council for Transport Safety, kortweg PACTS.

Op grond van een startdocument, opgesteld door de Raad voor de Verkeersveiligheid, hebben in Europa allerlei discussies plaatsgevonden, met als eerste resultaat het voorstel een Europese Raad voor de Verkeersveiligheid op te richten. Dit voorstel was mede gebaseerd op uitspraken van het Europees Parlement over de ontwikkeling van een Europees verkeersveiligheidsbeleid. Hierbij zou zo'n Europese Raad behulpzaam zou kunnen zijn. Gezien de uiteenlopende belangen die in het geding kunnen zijn, kan een onafhankelijke gesprekspartner bevorderen dat aandacht voor het onderwerp 'veiligheid' op een hoger plan komt en dat de beschikbare inzichten metterdaad worden benut.

Overigens vroeg de heer Van Miert zich van het begin af aan af of het werkterrein van een dergelijke Raad werkelijk beperkt zou moeten blijven tot het wegverkeer alleen. In het EU-beleid werd transport als geheel als een 'slagader' beschouwd. De moderne transportsystemen zijn zo kostbaar en van zo groot belang dat veiligheid, als wezenlijk onderdeel van die systemen en gelet op de omvang van de mogelijke consequenties, volgens Van Miert in alle transportsectoren veel meer aandacht zou moeten krijgen.

Natuurlijk deelde ik die mening van harte. Dat gold ook voor de PACTS, die zich in eigen land van meet af aan had beziggehouden met veiligheidssystemen voor alle transportsectoren. Uiteindelijk werd deze verbreding naar alle transportsectoren door vele Europese organisaties onderschreven, mits de onveiligheid van het wegverkeer bleef gelden als het belangrijkste en meest urgente argument om een Europese adviesraad in te stellen.

In oktober 1991 adviseerden wij te komen tot de instelling van een European Transport Safety Council. Deze ETSC moest naar onze mening twee taken gaan vervullen. Hij moest als onafhankelijk adviesorgaan de Europese Commissie, het Europees Parlement en de ministers van Transport (of de ministers die het mede aangaat), gevraagd of ongevraagd adviseren over de hoofdlijnen van het te voeren verkeersveiligheidsbeleid en het veiligheidsbeleid van de andere transportsectoren. Bovendien moest hij de onafhankelijkheid en de kwaliteit stimuleren van onderzoeken naar de oorzaken van ernstige transportongevallen. Daarbij is uitwisseling van gegevens en ervaringen tussen de verschillende landen en tussen de verschillende sectoren van belang, maar ook het kritisch volgen van de aanbevelingen en het eventueel elders onder de aandacht brengen van aanbevelingen met een bredere toepasbaarheid.

De heer Van Miert was van meet af aan positief. Maar de Europese Commissie voelde er buitengewoon weinig voor om eventuele kritiek op het eigen transportveiligheidsbeleid zelf te moeten gaan betalen. Wat dat betreft zijn wij in Nederland toch heel wat sportiever geweest!

Hoe het zij, ons voorstel dreigde in de beroemde prullenbak te verdwijnen. Maar de vele positieve reacties die wij hadden gekregen tijdens onze discussies deden ons besluiten om de ETSC dan maar zelf op te richten.

Achteraf best een moedige beslissing van ons en voor mij zeker een eyeopener.

Wij kozen voor de werkwijze van de PACTS. Die kende namelijk geen overheidsfinanciering, maar werkte met lidmaatschapsgelden en sponsoren. Bedrijven konden lid worden van de PACTS, maar ook universiteiten of andere organisaties. Via werkgroepen werden zij niet alleen betrokken bij de uitwerking van de verschillende onderwerpen, maar ook bij de selectie ervan.

Op grond van haar ervaring werd de directeur van de PACTS, Jeanne Breen, gevraagd als directeur van de ETSC. Mijn latere vriend, de Belgische professor Herman De Croo, werd gevraagd als voorzitter.

Herman De Croo had ik in februari 1984 als voorzitter van de Raad voor de Verkeersveiligheid tijdens een werkbezoek aan België leren kennen, toen hij minister was van Verkeerswezen en Posterijen, Telegrafie en Telefonie. Hij was toen ook voorzitter van de Belgische Hoge Raad voor de Verkeersveiligheid. Later werd hij voorzitter van de Belgische Tweede Kamer, de Kamer van Volksvertegenwoordigers.

De drie *founding members*, de Raad voor de Verkeersveiligheid, de Duitse Verkehrssicherheitsrat en de Engelse PACTS, leverden niet alleen het eerste – zeer bescheiden – startkapitaal, maar maken tot op heden ook deel uit van het bestuur. Ondanks de zorgen over het verkrijgen van de nodige middelen is de ETSC inmiddels uitgegroeid tot een gezaghbebbend adviesorgaan in de Europese Unie.

Naar een onafhankelijk onderzoek

Uit al deze internationale contacten is eveneens de gedachte voortgekomen om niet alleen gezamenlijk de waarde van het onafhankelijk onderzoek voor de samenleving uit te dragen, maar ook om onderling zoveel mogelijk ervaringen te gaan uitwisselen, zoals onderzoekstechnieken en opleidingen. Ook het elkaar steun verlenen bij complexe en internationale onderzoeken stond ons voor ogen.

In Nederland was het jaar 1992 van zeer grote betekenis voor het onafhankelijk onderzoek. Toen vond het eerste Wereldcongres over Transportveiligheid plaats op de TU in Delft. Initiatiefnemer en voorzitter van het congres was prof. ir. J.L. de Kroes. Minister Maij-Weggen, Karel Van Miert en ik maakten deel uit van het comité van aanbeveling.

Professor De Kroes was hoogleraar Transportveiligheid en onder andere nauw betrokken bij verkeersbegeleidingssystemen. Sinds 1980 was hij raadslid bij de Raad voor de Verkeersveiligheid. Ook zat hij in de Spoorwegongevallenraad. Hij is mijn grote inspiratiebron geweest met betrekking tot het integrale denken over de transportveiligheid. Daarin heeft hij mij niet alleen van meet af aan gesteund, maar ook mijn gedachten hierover zeer gestimuleerd. Ik heb zelfs enige tijd ernstig overwogen om bij hem te gaan promoveren.

Het tweedaagse congres over transportveiligheid, dat plaatsvond op 26 en 27 november 1992, is voor de verdere ontwikkeling van het onafhankelijk onderzoek in ons land van grote betekenis geweest.

Zowel de NTSB als de CTSB kregen er de gelegenheid uitvoerig stil te staan bij hun ervaringen. Waarom waren zij opgericht? Waarom waren de krachten – in die verkokerde transportwereld – in hun landen uiteindelijk gebundeld?

De leden van de Vaste Kamercommissie van Verkeer en Waterstaat hadden grote belangstelling voor deze ervaringen, aangezien het parlement kort daarvoor niet alleen had ingestemd met het voortbestaan van de Raad voor de Verkeersveiligheid, maar bovendien aan de minister had gevraagd te onderzoeken of een verbreding naar de totale transportsector zinvol zou zijn.

Levendig herinner ik mij nog dat wij 's avonds ergens in Schipluiden met vele Kamerleden en zowel Barry Sweedler van de NTSB als John Stants van de CTSB hebben gegeten en lang van gedachten hebben gewisseld over het functioneren van hun beide raden. John Stants heeft ook nog een bezoek mogen brengen aan minister Maij-Weggen, wat hij zeer heeft gewaardeerd.

Zelf heb ik op dit congres mijn 'bekende' pleidooi gehouden om te komen tot de instelling van één onderzoeksraad in Nederland. Daarnaast mocht ik bekendmaken dat de NTSB, de CTSB en de Zweedse onderzoeksraad hadden besloten samen met de Raad voor de Verkeersveiligheid en de Spoorwegongevallenraad hun schouders te gaan zetten onder de oprichting van de International Transportation Safety Association. Deze ITSA werd kort daarna, in 1993, op Paleis Het Loo in Apeldoorn opgericht. Ik werd benoemd tot voorzitter, een functie die ik tot 2004 heb mogen bekleden. Toen werd ik, wederom op Paleis Het Loo, benoemd tot chairman emeritus.

De ITSA was een totaal andere organisatie dan de ETSC. In de ITSA werden bestaande onderzoeksorganisaties bijeengebracht, onder andere met het doel om onderlinge ervaringen uit te wisselen en elkaar te kunnen bijstaan bij ernstige ongevallen. Om die reden was de NTSB later bijvoorbeeld nauw

De banden met de muziek vloeiden voort uit het feit dat ik vroeger van mijn ouders mijn eigen dixielandorkest mocht leiden. Deze foto stamt uit de jaren vijftig de vorige eeuw met Bob den Uyl (de schrijver) hier op trombone. Zelf – niemand herkent mij – zit ik achter de piano. In de jaren tachtig heb ik de muziek weer opgepakt om gelden te werven voor de verkeersslachtoffers (1986-1989). Deze concerten waren met vele Gevleugelde Vrienden, hetgeen later is voortgezet met Pim Jacobs, Louis van Dijk en mijzelf voor de financiering van de slachtofferhulp in het algemeen (1989-1996).
Na het overlijden van Pim Jacobs in 1996 ben ik met Louis en Selma van Dijk nog concerten blijven geven tot 2002.

(Foto: privébezit)

De Gevleugelde Vrienden in de periode 1986–1989.
(Foto: privébezit; gemaakt door Will Dekkers)

De Gevleugelde Vrienden van 1989–1996.
(Foto: privébezit; gemaakt door Will Dekkers)

Vanaf 2005 ben ik enthousiast gaan fotograferen, met name de natuur. Nu steun ik het Fonds Slachtofferhulp met tentoonstellingen van natuurfoto's, hetgeen door velen wordt beschouwd als een 'rustig' alternatief.

(Foto's gemaakt door Pieter van Vollenhoven)

Het gegeven dat mijn vader vroeger bij de vrijwillige brandweer is geweest, heeft zijn sporen achtergelaten.

(Foto boven: ANP; foto onder: privébezit; afkomstig van het Nationaal Foto Persbureau)

betrokken bij ons onderzoek naar het vliegtuigongeval met Turkish Airlines bij Schiphol in 2009.

Wat op het congres in Delft een zeer belangrijke rol speelde, was de rampzalige herinnering aan de Bijlmerramp kort tevoren. Op 4 oktober 1992 was Nederland immers geconfronteerd met het neerstorten van een vrachtvliegtuig van de Israëlische luchtvaartmaatschappij El Al in de Amsterdamse woonwijk Bijlmermeer. De Boeing 747 had zich door twee flatgebouwen geboord, waarbij 43 personen om het leven waren gekomen.

Dit verschrikkelijke ongeluk zou de gemoederen in Nederland nog zesenhalf jaar blijven bezighouden, een periode waarin telkens nieuwe vragen werden gesteld, wat voor de Tweede Kamer uiteindelijk aanleiding vormde om in oktober 1998 alsnog de parlementaire enquêtecommissie Vliegramp Bijlmermeer in te stellen.

Het parlementaire verzoek aan de minister om te onderzoeken of een bundeling van krachten binnen de totale transportsector zinvol was, heeft overigens nog onverwachte gevolgen gehad voor de wijze waarop de ramp in de Bijlmer aanvankelijk is onderzocht.

De beide kamers hadden namelijk in 1992 ook de nieuwe luchtvaartongevallenwet goedgekeurd, die erin voorzag dat het onderzoek naar de oorzaak van een ongeval gescheiden diende te worden van het onderzoek naar de schuldvraag. De International Civil Aviation Organization (ICAO) had dit al in 1954 voorgeschreven, maar dat nam niet weg dat de Raad voor de Luchtvaart begin jaren negentig nog steeds beschikte over tuchtrechtelijke bevoegdheden. De ICAO-voorschriften moeten namelijk vertaald worden in nationale wetgeving en dan is het toch teleurstellend om te moeten constateren dat Nederland daar maar liefst 38 jaar over heeft gedaan! Hoe gaat dat elders in de wereld?

Hoe het zij, de minister had gewacht met de inwerkingtreding van de nieuwe luchtvaartongevallenwet, omdat zij had besloten eerst de uitkomsten van de KPMG-studie naar de ongevallenraden af te wachten. Het gevolg hiervan was dat het onderzoek naar de Bijlmerramp werd uitgevoerd onder het regime van de oude luchtvaartrampenwet, dus door de Luchtvaartinspectie, die als onderdeel van de Rijksluchtvaartdienst natuurlijk geen onafhankelijke organisatie was.

Toen de minister door de Tweede Kamer werd gevraagd waarom het onderzoek naar de Bijlmerramp onder de oude wet had plaatsgevonden, sprak zij van 'een ongelukkige samenloop van omstandigheden', waardoor de wet nog niet was ingevoerd. 'U zult er begrip voor hebben dat dit puur toeval is.'

Kort na het congres, op 30 november 1992, ontspoorde dicht bij Hoofddorp de intercity 2127. Deze intercity van Amsterdam naar Vlissingen liep bij een zogenaamde s-boog uit de rails en botste tegen enkele bovenleidingmasten, waarbij het voorste rijtuig losbrak en op het talud terechtkwam. Vijf reizigers kwamen hierbij om het leven, 32 personen raakten gewond.

Nog voordat de Spoorwegongevallenraad bijeen was gekomen, struikelde raadslid professor De Kroes over een uitspraak tijdens een bezoek aan de ongevalsplaats. In de cabine van de verongelukte trein had hij de snelheidsmeter op 80 kilometer zien staan. Vervolgens deelde hij de pers mee dat de machinist zeer waarschijnlijk te hard had gereden.

De minister had net gezegd dat het een ingewikkeld onderzoek zou worden, dat maanden kon gaan duren. En de president-directeur van de Nederlandse Spoorwegen had net bekendgemaakt 'het niet aannemelijk te achten dat een te hoge snelheid het ongeluk had veroorzaakt'.

Kortom, het was duidelijk dat professor De Kroes hier voor zijn beurt had gesproken, en de Spoorwegongevallen-

raad heeft dan ook besloten hem niet verder aan het onderzoek te laten deelnemen. Als 'raad' kun je zeker gegevens
bekendmaken, ook tijdens een lopend onderzoek, bijvoorbeeld om nieuwe ongevallen te helpen voorkomen, maar dat
is toch totaal iets anders dan het maken van individuele opmerkingen.

Helemaal tegen het einde van het veelbewogen jaar 1992,
op 21 december, verongelukte ook nog een Nederlandse
DC-10 op de landingsbaan van het vliegveld Faro in Portu-
gal. Van de 340 passagiers en bemanningsleden kwamen
daarbij 56 personen om het leven.

De bundeling van krachten
in de transportsectoren

DE MOTIE-VAN VLIJMEN

Zoals eerder besproken, kwam het adviesbureau KPMG in mei 1993 uit met zijn rapport 'Goede raad is niet duur' waarin, zeer voorzichtig maar toch, als aanbeveling stond dat een samenwerking tussen de verschillende onderzoeksraden de voorkeur zou verdienen.

Maar met het oog op het feit dat een aantal sectoren zeer afwijzend stond tegenover het samengaan van de ongevallenraden benadrukte KPMG dat dit geen algehele integratie hoefde te betekenen. Een bundeling van de bestaande raden diende tot stand te worden gebracht met behoud van ieders bevoegdheden. Kortom, in deze aanbeveling werd wel een behoorlijke slag om de arm gehouden.

Gelukkig adviseerde de begeleidingscommissie van dit KPMG-rapport de minister echter – moedig – om direct met het proces van bundelen van start te gaan. Waarop de minister de Tweede Kamer informeerde dat zij had besloten om stappen te zullen ondernemen met betrekking tot de bundeling van de bestaande onderzoeksraden.

Op 11 november 1993 diende nu het Tweede Kamerlid Van Vlijmen tijdens de vaststelling van de begroting van Verkeer en Waterstaat een motie in met het verzoek aan de regering een wetsvoorstel voor te bereiden tot de instelling van een nationale Raad voor de Transportveiligheid, te weten:

Tweede Kamer der Staten-Generaal

Vaststelling van de begroting van de uitgaven en de
ontvangsten van hoofdstuk XII (Ministerie van Verkeer
en Waterstaat) voor het jaar 1994

Motie van het lid Van Vlijmen c.s.
Voorgesteld 11 november 1993

De Kamer,

Gehoord de beraadslaging,

Kennisgenomen hebbende van het advies van de
Begeleidingscommissie Evaluatie Raad voor de
Verkeersveiligheid/Spoorwegongevallenraad op basis
van het rapport 'Goede raad is niet duur',

Met grote belangstelling en betrokkenheid de
afwikkeling gevolgd hebbende van diverse tragische
ongevallen die de afgelopen jaren in ons land hebben
plaatsgevonden,

Kennisgenomen hebbende van de ervaringen in de
Verenigde Staten, Canada en Zweden, waarbij
tuchtrechtelijke en strafrechtelijke procedures volledig
gescheiden zijn van het onafhankelijk onderzoek naar de
oorzaken van ongevallen,

Overtuigd, dat het moment gekomen is om op het gebied
van de veiligheid sectorale grenzen te doorbreken en
samenwerking tussen de transportsectoren te
bewerkstelligen,

Overtuigd van het belang van een – van de uitvoerende machten onafhankelijke – nationale Raad voor Transportveiligheid die op wettelijke basis gemachtigd is alle ongevallen ten aanzien van wegverkeer, zee- en binnenvaart, luchtvaart, pijpleidingen en spoorwegen te onderzoeken, en aanbevelingen ter zake van de veiligheid in deze sectoren te doen, ook zonder dat daaraan een ernstig ongeval ten grondslag ligt,

Verzoekt de regering een wetsvoorstel voor te bereiden tot instelling van een nationale Raad voor Transportveiligheid.

En gaat over tot de orde van de dag.

Van Vlijmen
Van Gijzel
Lankhorst
J. T. van den Berg

Tweede Kamer, vergaderjaar 1993-1994, 23 400 XII, nr. 14

Deze motie is voor de verdere ontwikkelingen van het onafhankelijk onderzoek van zeer grote betekenis geweest. Voor het eerst werd hier immers gesproken over de komst van één onderzoeksraad en niet meer over een bundeling van krachten met behoud van ieders bevoegdheden.

Als reactie hierop heeft de minister een voorzittersoverleg tussen de raden op gang gebracht met als opdracht om op korte termijn met een voorstel tot samenvoeging te komen in overeenstemming met de wensen van de Kamer.

De minister vroeg mij dit overleg voor te zitten, wat natuurlijk herinneringen bij mij opriep aan ons eerdere overleg van tien jaar daarvoor! Zeer vergelijkbaar met toen waren wederom alleen de Raad voor de Verkeersveiligheid en de

Spoorwegongevallenraad bereid om mee te werken aan een geïntegreerde raad. De andere drie raden wilden hier geen uitspraak over doen. Zij hadden te weinig tijd gehad om deze kwestie te bespreken met hun achterban, wie dat dan ook maar waren.

In augustus 1994 kwam Annemarie Jorritsma aan het roer te staan als nieuwe minister van Verkeer en Waterstaat in het eerste paarse kabinet. Als VVD-lid van de Vaste Commissie van Verkeer en Waterstaat in de Tweede Kamer had zij destijds tegen de motie-Van Vlijmen gestemd! In maart 1995 schreef de minister dan ook aan de Kamer dat zij zich nog moest beraden over de vraag in hoeverre zij het voornemen van haar ambtsvoorganger ten volle zou willen overnemen. Zij was voorstander van een intensieve samenwerking tussen de Raden, en van een afschaffing van tuchtrechtelijke bevoegdheden, maar een samenvoeging tot één overkoepelende Transportongevallenraad hoefde van haar niet.

De toegevoegde waarde van één geïntegreerde raad moest volgens haar nog eens goed worden onderzocht, voordat met een wetsontwerp hieromtrent zou worden begonnen. De minister sprak voor het eerst van een Transportongevallenraad, om te benadrukken dat het een onderzoeksraad zou moeten worden en geen adviesraad.

Als reactie op deze brief van de minister werd op 13 maart 1995 de motie-Dankers ingediend en aangenomen. In deze motie werd de regering nogmaals verzocht een wetsvoorstel voor te bereiden tot de instelling van een Transportongevallenraad, uitgaande van vier kamers: luchtvaart, scheepvaart, spoorverkeer en wegverkeer.

De minister ging hiermee akkoord en kort na deze motie werd begonnen met de voorbereidingen voor deze Raad. Kamerlid mevrouw L.H.J.M. Dankers pleitte er nog voor dat de Raad ook aanbevelingen zou mogen doen, zonder dat daaraan ongevalsonderzoeken ten grondslag lagen. Maar de

minister wilde de motie alleen uitvoeren als de brede be-
leidsadvisering achterwege zou worden gelaten, waarmee de
Kamer akkoord is gegaan.

AFSCHEID VAN DE RAAD

De jaren vanaf 1993 waren voor mij jaren van enerzijds grote
vreugde, maar anderzijds ook van verdriet. Natuurlijk was
ik meer dan verheugd over de moties van de heer Van Vlijmen en later mevrouw Dankers. Tien jaar na mijn eerste
brief aan de minister over een mogelijke bundeling van
krachten bij de onderzoeksraden had de Tweede Kamer nu
de noodzaak en de wenselijkheid van een onafhankelijke
onderzoeksraad volledig onderschreven.

Ook was het uitermate positief dat onze internationale
ideeën, zowel de ETSC als de ITSA, waren gerealiseerd. De
Amerikanen, de Canadezen en de Zweden hadden mij zelfs
benoemd tot voorzitter van de ITSA, een functie die ik elf
jaar lang heb mogen bekleden.

Het verdriet zat hem in het gegeven dat er donkere wol-
ken aan de horizon verschenen, die het einde van de Raad
voor de Verkeersveiligheid zouden gaan inluiden.

In 1994 diende de Woestijnwetgeving zich namelijk aan.
Daarmee beoogde men een algehele sanering van het ad-
viesradenbestel in ons land te bewerkstelligen.

'Een kaalslag onder de adviescolleges van regering en parlement', dat was de opzet van deze Woestijnwet, die formeel
Kaderwet Adviescolleges heette. Alle adviesraden moesten
worden afgeschaft op enkele uitzonderingen na, zoals de
Wetenschappelijke Raad voor het Regeringsbeleid en de
Sociaal-Economische Raad. Vervolgens werden bij wet elf
nieuwe raden ingesteld, één per departement.

Deze wet werd op 3 juli 1996 aanvaard, met als gevolg dat
de Raad voor de Verkeersveiligheid, na een bijna twintigjarig bestaan, eind december 1996 werd opgeheven.

Als ik nu zo terugblik op dat bijna twintigjarige bestaan, dan heeft de Raad voor de Verkeersveiligheid vier jaar (van 1977 tot 1981) voorlopig bestaan en vijf jaar definitief (van 1981 tot 1984 en van 1992 tot 1994). De overige tien jaren stonden in het teken van zijn naderende opheffing. Dit gegeven, dat je moeilijk kunt uitleggen als grote waardering voor je werk, stemt een mens vanzelfsprekend niet vrolijk.

Ik ben alle raadsleden en medewerkers van het secretariaat dan ook diep dankbaar dat zij zich altijd ten volle zijn blijven inzetten voor het werk en het behoud van de Raad voor de Verkeersveiligheid, als waakhond voor dit onderwerp. Bovendien waardeer ik het in hoge mate dat zij mij ook in de strijd voor het onafhankelijk onderzoek altijd zijn blijven steunen. Altijd spanningen met het departement en de zeer wisselende relaties met de achtereenvolgende ministers waren natuurlijk voor hen ook moeilijk te beschouwen als bevorderlijk voor je naamsbekendheid!

Vanzelfsprekend hebben de vele spanningen wel geleid tot allerlei interne discussies, ook over het onafhankelijk onderzoek, wat je maar ten dele tot ons werkterrein kon rekenen, maar nooit is er binnen de Raad sprake geweest van enige wanklank over onze adviezen.

In de periode tussen 1977 en 1996 hebben wij 69 Raadsadviezen uitgebracht, die alle unaniem waren. Dat is voor iedereen een unieke ervaring geweest.

De moeilijkheid voor het ministerie met betrekking tot de verkeersveiligheidsproblematiek was dat het onderwerp hen, als 'doe'-departement, niet echt aansprak. Bovendien waren de stuurmogelijkheden van het departement beperkt. Naar onze inschatting was het departement zelf maar voor twintig procent verantwoordelijk voor de te nemen maatregelen. Voor de overige tachtig procent moest het ministerie optreden als coördinator voor zowel de betrokken departementen als voor lagere overheden en particuliere organisaties. Dit werkte vanzelfsprekend een spanningsveld in de hand tussen de Raad en de minister. Het was achteraf gezien veel beter geweest als de Raad zijn advisering rechtstreeks had mogen richten tot degene die het aanging. Dat zou veel spanningen hebben gescheeld.

Volgens zijn taakstelling werd de Raad geacht te adviseren over de hoofdlijnen van het te voeren verkeersveiligheidsbeleid. Maar de praktijk leert dat het adviseren over hoofdlijnen op den duur niet meer zinvol is. Zo kennen allerlei onderwerpen als bijvoorbeeld het puntenstelsel een lange 'acceptatietijd'. Bij een puntenstelsel krijg je bij ernstige overtredingen punten toebedeeld. Bij een bepaald aantal punten kan dat leiden tot het intrekken van het rijbewijs.

Het allereerste advies van de Raad uit 1978 handelde hierover. Gedurende zijn hele bestaan heeft de Raad dit onderwerp gevolgd en onder de aandacht gebracht. Maar om als gesprekspartner te kunnen blijven fungeren dienden wij ons steeds verder te specialiseren. Met een advies op hoofdlijnen kan men in dergelijke gevallen, of liever gezegd in de meeste gevallen, dus niet volstaan.

Een andere consequentie van 'het werken op wat langer zicht', was dat de betrokken ministeries niet altijd direct met onze adviezen uit de voeten konden. Hun zorgen, en die van de minister, liggen immers veelal op de korte termijn. Bovendien brengt de onafhankelijkheid met zich mee dat het draagvlak voor veel adviezen nog moest worden opgebouwd. Kortom, zonder een 'frappez toujours'-politiek van de Raad zou het nut van advisering echt moeten worden betwijfeld.

Ten slotte geldt natuurlijk voor beleidsadviescolleges in het algemeen dat je eigenlijk overbodig bent als je het eens bent met het beleid. Als je zwijgt, ben je ook overbodig, en als je het niet eens bent met het beleid, dan heeft men er al gauw spijt van, zeker op het departement, dat men zo'n raad ooit in het leven heeft geroepen. Er zit dus voor beide partijen een duidelijk dualisme in de relatie.

Toch zijn wij er – in ieder geval volgens het evaluatieonderzoek van KPMG – in geslaagd om een redelijk evenwicht te bereiken tussen 'hinderlijk volgen' en 'opbouwend signaleren'. Dat klinkt toch aanzienlijk positiever dan de 'luis in de pels van de minister', zoals ik vaak door de ambtenaren op het departement ben genoemd.

In zijn afscheidswoord aan onze Raad schreef de voorzitter van de Vaste Commissie Verkeer en Waterstaat van de Tweede Kamer, de heer drs. P. J. Biesheuvel, onder andere dat hij de rol van de luis in de pels zou gaan missen. Ook vroeg hij zich af of de horzelfunctie, die de Raad voor de Verkeersveiligheid zichzelf had aangemeten, na zijn verdwijnen wel in voldoende mate overeind zou blijven.

'De Tweede Kamer had met een geruster hart afscheid genomen van de Raad voor de Verkeersveiligheid indien de Transportongevallenraad aansluitend zijn werkzaamheden had kunnen starten. De Vaste Kamercommissie voor Verkeer en Waterstaat is de Raad voor de Verkeersveiligheid dankbaar voor de vele goede adviezen die zijn uitgebracht. Wij zullen daarnaast ook goede herinneringen bewaren aan de prettige contacten die er al die jaren geweest zijn met de Raad. De Raad heeft een zeer goede zaak gediend.'

Uit deze woorden blijkt wel dat de verstandhouding met de leden van de Tweede Kamer niet alleen altijd voortreffelijk is geweest, maar ook dat mijn leven zonder steun van diezelfde Kamer, tot uitdrukking gebracht in moties, een totaal ander verloop zou hebben gekend.

DE KOMST VAN DE RAAD
VOOR DE TRANSPORTVEILIGHEID

Na de motie-Van Vlijmen in 1993 liet de komst van de Raad voor de Transportveiligheid nog lang op zich wachten. Natuurlijk waren de ongevallenraden sterk gericht op hun eigen terrein en voelden zij er – met de genoemde uitzonderingen – niets voor om te moeten integreren in één nieuwe Raad. En die terughoudendheid gold ook voor de betrokken overheidsinspecties, want zij waren immers belast geweest met ongevallenonderzoeken voor de bestaande raden. Een taak die zij naar hun mening naar behoren hadden uitgevoerd.

Daarnaast ontstond veel vertraging door de discussie over het behoud van het tuchtrecht bij de zeescheepvaart. Ambtelijk was hier geen steun meer voor te vinden. Men was de mening toegedaan dat het tuchtrecht en het onafhankelijk onderzoek gescheiden moesten worden, zoals in de luchtvaart ook internationaal was voorgeschreven. Maar de gezamenlijke zeevaartorganisaties zagen dat pertinent anders.

Met het oog op de voortdurende discussies over de mate van integratie – moest men kiezen voor een federatief of voor een integratiemodel? – besloot de minister in 1996 bureau Rand Europe opdracht te geven de mogelijke vormen van een in te stellen ongevallenraad te onderzoeken.

Rand Europe kwam in 1997 tot de conclusie dat een integratiemodel meer 'potentie' zou hebben. Volgens het bureau zou dit model het beste aansluiten bij de laatste ontwikkelingen op internationaal gebied en het meest in staat zijn de veiligheid te vergroten. Dit advies werd door de ambtenaren die waren belast met de voorbereidingen van het wetsvoorstel positief ontvangen. De plaatsvervangend secretaris-generaal, mevrouw T. J. van Beek, die de leiding had over alle voorbereidingen, besloot dan ook dit integratiemodel in te voeren.

Maar in april 1997 leidde een advies van de Raad van State tot een later aangebrachte scherpe scheiding van taken in het ingediende wetsvoorstel. Hierbij had de Raad geen controle meer over de analyse van een ongeval – iets wat in de eerste versies van het wetsvoorstel niet zo was geweest.

De Raad van State maakte zich met name zorgen over de deskundigheid van één geïntegreerde onderzoeksorganisatie. Over het wetsvoorstel werd geschreven: 'In het bijzonder wordt gemist een beschouwing over de wijze waarop verzekerd wordt dat – ondanks het brede werkterrein – van ook individuele onderzoekers niettemin grondige kennis van en een diepgaand inzicht in de onderscheiden sectoren beschikbaar zal blijven.'

Deze twijfel over de deskundigheid van een nieuwe, geïntegreerde onderzoeksorganisatie was natuurlijk geenszins nieuw en werd door enkele raden – zoals de Raad voor de Scheepvaart en de Raad voor de Luchtvaart – reeds jarenlang geuit.

Hoewel het ministerie deze kritiek, zeker na het grondige onderzoeksrapport van Rand Europe, eigenlijk niet gegrond achtte, kwam men toch tegemoet aan de kritiek van de Raad van State. Deze ommezwaai zou ik geheel willen toeschrijven aan het feit dat men op het ministerie uiteindelijk niet zijn vingers wilde branden aan deze materie. Daarbij vraag ik mij oprecht af of de Raad van State zich – behalve in deze oude en bekende kritiek – wel grondig had verdiept in het functioneren van bijvoorbeeld de Amerikaanse National Transportation Safety Board.

In ieder geval zorgde het advies van de Raad van State ervoor dat het wetsvoorstel inzake de in te stellen Transportongevallenraad een wangedrocht werd. Nu was namelijk gekozen voor een systeem waarin een kamer voor een bepaalde sector werd belast met het ongevalsonderzoek. Voor deze opzet was gekozen, opdat de betrokken sectoren zich zouden kunnen blijven herkennen in de nieuwe, overkoepelende Raad. Hoewel dit volledig tegen de wens van de Tweede Kamer in ging, was het na het advies van de Raad van State wel de wens geworden van het departement, en zeker ook van bepaalde betrokken sectoren.

Van de sectorkamers werd nu verwacht dat zij de oorzaken

(of de vermoedelijke oorzaken) van een ongeval of incident vastlegden. Hun oordeel daaromtrent was definitief. Dat zei de minister ook tijdens de parlementaire behandeling: 'Dat kan niet meer worden veranderd.' In het eindrapport van de Raad voor de Transportveiligheid moeten 'hun' kamerconclusies ter zake worden overgenomen. Met deze regeling wordt bewerkstelligd dat de analyse van ongevallen en incidenten door sectordeskundigen plaatsvindt.

Daarnaast was het uitgangspunt dat de algemene Raad (bedoeld werden de raadsleden naast de Kamerleden) over een ruimer veld van deskundigheid zou beschikken. Om deze reden was het vaststellen van veiligheidstekorten en het formuleren van veiligheidsaanbevelingen opgedragen aan de Raad. De keuze voor deze structuur, deze kunstmatige scheiding tussen het analyseren van het ongeval en het doen van aanbevelingen, tref je nergens ter wereld aan en vroeger ook niet in ons land.

Als je dan als voorzitter moet gaan zeggen dat je het niet eens bent met bijvoorbeeld de analyse van je eigen kamer Luchtvaart, dan kun je spreken van een ramp na de ramp. Natuurlijk wordt dan door iedereen gezegd dat het in werkelijkheid zo'n vaart niet zal lopen, maar die zinsnede wordt mij echt veel te gemakkelijk gehanteerd als je, over wat voor onderwerp ook, echt kritische vragen gaat stellen.

Bij de Kamerbehandeling van het wetsvoorstel in april 1998 is zeker nog kritisch gesproken over de verhouding tussen Raad en kamers. De kamers zouden nu wel héél autonoom kunnen gaan functioneren. Iedereen besefte dat dit voorstel niet één Raad had opgeleverd.

Maar een wijziging op dit gebied zou wederom voor vertraging zorgen en er was na de motie van 1993 al zo'n lange weg afgelegd. Om deze reden werd besloten de evaluatie van de wet te vervroegen en te houden na drie in plaats van na vijf jaar. Als een evaluatie van een wet wordt vervroegd, dan weet je eigenlijk meteen hoe laat het is!

In de wet was ook geen plaats ingeruimd voor transport via buisleidingen. Dit was volgens de minister zo nieuw en zo in ontwikkeling dat het te vroeg was om deze vorm van transport in de wet te betrekken. Het amendement-Van den Berg zorgde er echter voor dat de buisleidingen alsnog aan het werkterrein werden toegevoegd.

Het amendement-Van Gijzel/Biesheuvel zorgde gelukkig voor een naamsverandering van Transportongevallenraad naar Raad voor de Transportveiligheid. Een zeer logische beslissing, omdat de Raad ook verplicht is om bijna-ongevallen – dus nog net geen ongevallen – te onderzoeken.

De Kamerleden Van Waning en Blauw zorgden door een motie nog voor het behoud van het tuchtrecht in de zeescheepvaart, met als gevolg dat het onafhankelijk onderzoek naar ongevallen in de zeescheepvaart voorlopig niet door de Raad voor de Transportveiligheid kon worden uitgevoerd. De Raad voor de Scheepvaart ontleende zijn bevoegdheden aan de Schepenwet, wat een rijkswet was. De wet van de Raad voor de Transportveiligheid was een 'gewone' wet. Een rijkswet als de Schepenwet kon alleen worden gewijzigd in samenspraak met de Nederlandse Antillen en Aruba. Zo'n wijziging zou 'enige tijd', ik dacht zelfs twaalf jaar, in beslag gaan nemen!

Uiteindelijk werd de Raad voor de Transportveiligheid na zes jaar touwtrekken en vele gesprekken op 30 juni 1999 geïnstalleerd. Later hoorde ik toevallig dat de Australian Transportation Safety Board ook op deze datum was geïnstalleerd.

HET COLLEGE BEVORDERING VEILIGHEIDSEFFECTSTUDIES

In oktober 1996 – dus vlak voor de opheffing van de Raad voor de Verkeersveiligheid en midden in alle beraadslagingen en voorbereidingen over een in te stellen Transporton-gevallenraad of Raad voor de Transportveiligheid – kreeg ik totaal onverwacht een aardige brief van de minister van Binnenlandse Zaken en Koninkrijksrelaties, de heer H.F. Dijkstal, waarin hij mij vroeg of ik voorzitter wilde worden van het nog in te stellen College Bevordering Veiligheidseffect-studies.

Natuurlijk was ik niet alleen verrast, maar ook verbaasd, omdat mijn verhouding met de twee VVD-ministers van Verkeer en Waterstaat immers niet al te florissant was geweest. Onze discussies zouden hem toch niet zijn ontgaan? Waarom zouden zij de heer Dijkstal niet voor mij hebben gewaarschuwd? 'Begin daar nooit aan', of iets dergelijks, want men ziet elkaar toch regelmatig op partijcongressen.

Dus ik besloot de heer Dijkstal maar op te bellen en hem te vragen of deze uitnodiging niet berustte op een pijnlijke vergissing.

'Meneer Dijkstal, vanzelfsprekend heel veel dank voor uw hartelijke uitnodiging, maar het enige wat ik mij af-vraag, realiseert u zich wel dat mijn naam en het onderwerp veiligheid niet altijd in grote vreugde worden genoemd?'

Dat deze combinatie niet overal werd gewaardeerd, was de heer Dijkstal niet ontgaan, maar hij dacht dat ik voor dit college van nut zou kunnen zijn. En het zou maar 'een korte levensduur' kennen, namelijk tot het jaar 2000. Kortom, het gevaar was te overzien!

Met veel plezier heb ik aan zijn verzoek gevolg gegeven, want het college, dat in november 1996 van start zou gaan, had een boeiende taak te vervullen. En het was, hoe tijdelijk ook, een mooie plaatsvervanger voor de Raad voor de Verkeersveiligheid, die zoals reeds opgemerkt eind december 1996 zou worden opgeheven.

Het college kwam voort uit de Nota Veiligheidsbeleid, die de staatssecretaris van Binnenlandse Zaken, de heer J. Kohnstamm, in juni 1995 aan de Tweede Kamer had aangeboden. In deze nota werd voorgesteld een instrument te ontwikkelen dat van nut zou zijn bij een samenhangende en preventieve aanpak van veiligheidsproblemen. Ter voorkoming van onveilige situaties zouden de betrokken partijen bij bijvoorbeeld grote infrastructurele projecten moeten kunnen beschikken over een soort spoorboekje, dat hen zou attenderen op de veiligheidsgevolgen van bepaalde beleidsvoornemens.

Dit spoorboekje zou zowel moeten gelden voor maatregelen op het terrein van de sociale veiligheid (*security*) als de fysieke veiligheid (*safety*). In veel gevallen werd immers geen of te laat aandacht geschonken aan veiligheid. Soms werden zelfs vastgestelde veiligheidsmaatregelen weer geschrapt om kosten te kunnen besparen.

Het kwam ook voor dat bepaalde veiligheidsmaatregelen in strijd waren met andere veiligheidsbelangen. Zo werden vroeger bijvoorbeeld lage snelheden in het wegverkeer afgedwongen door het plaatsen van drempels, paaltjes en bloembakken, die voor de hulpdiensten weer obstakels waren en levensreddende operaties in de weg konden staan. Of de brandweer was, bijvoorbeeld door een zachte bodem, helemaal niet in staat om het brandende object te bereiken. Nooit had men rekening gehouden met het gewicht en de omvang van het brandweermateriaal!

Omdat veiligheid van oudsher een verkokerd en versnipperd onderwerp was, leek mij zo'n spoorboekje, een veiligheidseffectrapportage, een nuttig instrument, niet alleen om het geïntegreerd veiligheidsdenken te bevorderen, maar ook om te bewerkstelligen dat partijen tijdig aan het onderwerp veiligheid zouden denken.

Later, in januari 1998, schreef ik aan minister Dijkstal dat zijn ministerie naar mijn mening en ook naar het oordeel van het college eigenlijk een veel actievere rol zou moeten gaan spelen bij het helpen doorbreken van de bestaande verkokering in de veiligheidswereld. Weliswaar was het departement op papier, dus volgens de veiligheidsnota's, verantwoordelijk voor een integraal veiligheidsbeleid, maar je kon toch oprecht betwijfelen of het ministerie wel over voldoende interesse, kennis en moed beschikte om zijn veiligheidsneus in andermans zaken te steken.

Als voorbeeld noemde ik de gang van zaken rondom twee wetsvoorstellen, één inzake de in te stellen Transportongevallenraad en één inzake de Defensieongevallenraad. Beide wetsvoorstellen werden in 1998 ingediend bij de Tweede Kamer en regelden het onafhankelijk onderzoek naar defensie- dan wel transportongevallen. Toch waren beide wetsvoorstellen niet alleen totaal verschillend van opzet, maar er was ook nog eens sprake van een geheel verschillende opvatting over het beroemde woord 'onafhankelijkheid'. Voor de buitenwereld is zoiets onbegrijpelijk.

Als je dan spreekt over integraal veiligheidsbeleid zou het toch logisch zijn geweest als het ministerie van Binnenlandse Zaken hierover op zijn minst was geraadpleegd. Nu, daarvan was natuurlijk geen sprake, want het ministerie van Defensie noch het ministerie van Verkeer en Waterstaat zag hier een rol weggelegd voor het ministerie van Binnenlandse Zaken. En dat laatste ministerie wilde aan deze materie ook zijn vingers niet branden!

In maart 1998 schreef de heer Dijkstal het college naar aanleiding van onze gesprekken dat hij het zou willen vragen aanbevelingen en suggesties te doen met betrekking tot drie punten: ten eerste de rol van de minister van Binnenlandse Zaken als coördinerend bewindspersoon in het veiligheidsbeleid; ten tweede de vormgeving en invoering van een veiligheidseffectrapportage; en ten derde het incidenten- en ongevallenonderzoek, voor zover dat niet binnen het aandachtsgebied van de Transportongevallenraad of de Defensieongevallenraad viel.

Deze brief vind ik een mooi voorbeeld van enerzijds nieuwsgierigheid ('wat verwacht je dan van een coördinerend minister?') en anderzijds terughoudendheid ('je mag kijken naar het onafhankelijk onderzoek, als het maar niet die beide raden betreft!').

Ik heb in die tijd uitvoerig met minister Dijkstal gesproken, niet alleen over de merkwaardige verschillen tussen die beide raden, maar ook over het gegeven dat het absoluut niet logisch was om het onafhankelijk onderzoek in ons land te beperken tot slechts die twee sectoren.

Het aantreden van het tweede kabinet-Kok in augustus 1998 betekende ook de komst van drie nieuwe hoofdrolspelers: de heer Bram Peper, oud-burgemeester van Rotterdam, werd minister van Binnenlandse Zaken en Koninkrijksrelaties, de heer Frank de Grave minister van Defensie en mevrouw Tineke Netelenbos minister van Verkeer en Waterstaat.

Enerzijds kan het aantreden van nieuwe bewindspersonen vervelend zijn, omdat je weer geheel opnieuw moet beginnen, anderzijds is het voordeel dat zij nog niet 'fors' zijn uitgekeken op mijn 'eeuwige gezeur' over die onafhankelijke onderzoeken in ons land. Even werden mij niet meer vertrouwelijk dingen toegefluisterd als: 'Ga toch iets nuttigs doen in onze maatschappij, want je maakt het leven niet alleen voor je zelf, maar ook voor vele anderen onmogelijk!'

De heer Peper kende ik goed als burgemeester van Rotterdam. Wat ik altijd in hoge mate in hem heb gewaardeerd, was het feit dat hij bijna altijd aanwezig was bij mijn officiële bezoeken aan zijn stad. Soms – als ik aarzelde over een uitnodiging – vroeg ik zijn advies en als hij er positief tegenover stond, dan was hij er ook. Ik stelde het enorm op prijs hoe consequent hij dat deed, en dat voor de burgemeester van een wereldhaven. Onze ontmoetingen waren altijd hartelijk en mondden soms ook uit in lange vervolggesprekken op het stadhuis.

Wat voor mij ingewikkeld was, was het gegeven dat de heer Peper en mevrouw Smit-Kroes besloten hadden samen verder door het leven te trekken. Welnu, mevrouw Smit-Kroes was absoluut fors op mij uitgekeken en met de heer Peper moest ik de problemen en wensen rond het onafhankelijk onderzoek en de veiligheidseffectrapportage nog verder bespreken.

Gelukkig was onze verhouding zodanig dat ik bij een van onze eerste ontmoetingen deze problematiek openlijk ter discussie kon stellen. Inderdaad was het hem niet ontgaan dat 'Neelie' en ik elkaar 'wat minder' lagen. De heer Peper stelde voor dat hij op korte termijn een avond zou zien te vinden om het een en ander uit te spreken. Hij zou daarin het voortouw nemen.

Nu, die avond is er inderdaad snel gekomen en onder zijn leiding is alles toen uitgesproken. Het was absoluut een fantastische avond en een zeer open gesprek en als dikke vrienden gingen wij midden in de nacht, of liever gezegd vroeg in de ochtend, weer uit elkaar. Onze verhoudingen zijn sinds die avond totaal in goede zin veranderd.

Later zou Neelie over ons tijdperk zeggen: 'Pieter is een terriër en van dat soort honden heb ik nooit gehouden...' en: 'Sommige dingen ben ik later anders gaan zien dan toen het geval was.'

Spoedig daarna heb ik met minister Peper uitvoerig van gedachten kunnen wisselen over het onafhankelijk onderzoek in het algemeen ('Waarom zou dat niet van toepassing kunnen zijn op alle sectoren?'), de merkwaardige verschillen tussen de twee ingediende wetsvoorstellen en de rol van het coördinerend ministerschap in het veiligheidsbeleid.

De heer Peper toonde zich bereid om een studie te laten uitvoeren naar de organisatie van het onafhankelijk onderzoek naar ongevallen en incidenten in ons land!

Gelet op alle gevoeligheden wilde het ministerie met deze studie in eerste instantie inzicht krijgen in de wijze waarop het onafhankelijk onderzoek in de overige sectoren – dus naast defensie en transport – was georganiseerd. Het ministerie wilde de twee ingediende wetsvoorstellen toen nog niet ter discussie stellen, dat vond men echt een brug te ver.

Inmiddels had ik ook mijn opwachting mogen maken bij de nieuwe ministers Frank de Grave van Defensie en Tineke Netelenbos van Verkeer en Waterstaat. Daarnaast had ik de beide Vaste Kamercommissies uitvoerig kunnen informeren over de weeffouten die naar mijn mening in beide wetsvoorstellen zaten.

Mijn grootste bezwaar bij het wetsvoorstel voor de Defensieongevallenraad was het onjuiste gebruik van het woord 'onafhankelijkheid'.

In het wetsvoorstel had men weliswaar gekozen voor de benoeming van een onafhankelijke voorzitter (en een plaatsvervanger), maar de overige leden en plaatsvervangende leden van de Raad waren uitsluitend oud-officieren van de krijgsmacht.

De opvatting dat de onafhankelijkheid van een raad met de benoeming van een onafhankelijke voorzitter zou zijn gewaarborgd, was naar mijn mening verouderd. In het verleden was het inderdaad de gewoonte om voor een onderzoek een commissie te benoemen die bestond uit een onafhankelijke voorzitter en verder uit betrokkenen uit het veld. Met een dergelijke samenstelling dacht men aan alle eisen van het begrip 'onafhankelijkheid' te hebben voldaan. Maar de ervaring heeft genoegzaam aangetoond dat deze opzet geen garantie biedt voor een onafhankelijk onderzoek. Zeker is militaire kennis een vereiste, maar de samenstelling die men voor ogen had was te eenzijdig.

Daar kwam nog bij dat de secretarissen van de Raad officieren of oud-officieren waren van de krijgsmacht en de (voor)onderzoekers uitsluitend officieren van de krijgsmacht, die door de minister van Defensie werden benoemd als zich een ongeval had voorgedaan. In deze opzet kon de Raad toch onmogelijk als een onafhankelijke organisatie worden gezien. Dat men niet beschikte over vaste (voor)onderzoekers die terdege waren opgeleid, kwam eveneens door een foute beslissing, die was gebaseerd op het onjuiste uitgangspunt dat zij anders – wegens gebrek aan onderzoek – hun expertise zouden verliezen.

De Raad kon weliswaar uit eigen beweging een onderzoek starten, maar beschikte niet over eigen onderzoekers. Er was ook geen meldingsplicht aan de Raad. Die was wat dat betreft geheel afhankelijk van de defensieorganisatie. Alle rapporten moesten worden voorgelegd aan de minister, opdat deze kon nagaan of behandeling in het openbaar mocht geschieden. De minister beslist welke informatie uit het eindrapport openbaar wordt gemaakt en het is de minister die de rapporten publiceert. Uit deze regelingen blijkt duidelijk dat het defensiebelang prevaleert boven onafhankelijkheid en openbaarheid.

Dit stoorde mij des te meer daar wij toch op 15 juli 1996 in Nederland geconfronteerd waren geweest met de verschrikkelijke Herculesramp op vliegbasis Eindhoven. Daar was een Hercules c-130 van de Belgische Luchtmacht verongelukt bij een poging te landen op de vliegbasis en in brand gevlogen. In het vliegtuig bevonden zich 37 leden van het fanfarekorps van de Koninklijke Landmacht en vier bemanningsleden van de Belgische Luchtmacht. Bij deze ramp vonden 34 inzittenden de dood en raakten zeven inzittenden zwaargewond.

Zevenentwintig onderzoeksrapporten en rapportages zijn naar aanleiding van deze ramp geschreven en ondanks dit onbegrijpelijke aantal bleven nog vele vragen onbeantwoord. Hieruit zou je kunnen concluderen: 'Dit is eens, maar nooit meer', maar dat laatste bleek op geen enkele wijze uit dit wetsvoorstel.

Zelf was ik ook al een groot voorstander van een bundeling van de Defensieongevallenraad met de nog in te stellen Transportongevallenraad, omdat de Bijlmerramp van 4 oktober 1992 ons eveneens had aangetoond dat een onderzoeksrapport van zeer goede kwaliteit moet zijn als je wilt vermijden dat jaren na het ongeval nog steeds vragen worden gesteld over de toedracht.

Het onafhankelijk onderzoek is naar mijn volle overtuiging niet alleen afhankelijk van zijn onafhankelijkheid, maar evenzeer van de kwaliteit van zijn rapporten en dat laatste kan je in ons kleine land toch alleen maar bereiken door de krachten te bundelen.

Mijn tweede bezwaar tegen het wetsvoorstel was dat de Defensieongevallenraad door de gehanteerde tekst eigenlijk geen beperkingen kende in zijn reikwijdte. Wanneer materieel of personeel van de krijgsmacht bij een ongeval was betrokken, viel dat onder de werking van de wet. Dit zou in de praktijk kunnen betekenen dat twee 'onafhankelijke' raden naar hetzelfde ongeval een onderzoek zouden kunnen en/of moeten instellen. Volgens de wet moest dan wel voor afstemming worden gezorgd!

Gezien echter de verschillen in de wijze, waarop met name de begrippen onafhankelijkheid en openbaarheid zijn ingevuld, zou ernstig getwijfeld kunnen worden aan de mogelijkheid en de wenselijkheid van een samenwerking tussen de Ongevallenraad Defensie en de Raad voor de Transportveiligheid. Indien de ene Raad zelf inhoud en vorm kan geven aan zijn onderzoek, zelf de inhoud van zijn rapport bepaalt en dat ook zelf publiceert, terwijl de andere Raad dat niet kan, lijkt een samenwerking niet voor de hand te liggen. Een samenwerking zou eigenlijk alleen maar voor verwarring kunnen zorgen!

Met minister van Defensie Frank de Grave heb ik over mijn zorgen uitvoerig van gedachten mogen wisselen, maar hij voelde zich niet geroepen om dit wetsvoorstel aan te passen of in te trekken (ingediend augustus 1998). Hij wilde dit laatste alleen overwegen als de Tweede Kamer over deze materie een ander oordeel zou hebben.

U begrijpt dat de Vaste Kamercommissie van Defensie deze uitspraak van de minister heeft moeten bezuren!

Inmiddels had het ministerie van Binnenlandse Zaken en Koninkrijksrelaties KPMG – wederom, gelet op hun ervaringen – opdracht gegeven (in april 1999) om een studie te verrichten naar de wijze waarop het onafhankelijk onderzoek in ons land was georganiseerd of georganiseerd had moeten worden. In eerste instantie maakten de beide ingediende wetsvoorstellen geen deel van dit onderzoek uit. De minister en het departement vonden het toen onjuist om – achteraf – nog eens over de reeds ingediende wetsvoorstellen te gaan oordelen.

De mening hieromtrent veranderde echter door de definitieve bevindingen van de parlementaire enquêtecommissie Vliegramp Bijlmermeer, die haar eindrapport op 22 april 1999 publiceerde.

Deze commissie had onder andere haar twijfels geuit over de onafhankelijkheid van het onderzoek naar deze ramp en was daarom ook positief dat de regie bij onderzoeken naar dergelijke luchtvaartrampen in de toekomst in handen zou komen te liggen van de nog in te stellen Raad voor de Transportveiligheid. De commissie kwam echter wel met een aantal aanbevelingen voor deze nog in te stellen Raad.

Op grond van deze aanbevelingen, alsmede gelet op het advies van het College Bevordering Veiligheidseffectstudies (mei 1999) werd het onderzoek van KPMG (in mei 1999) verbreed naar alle sectoren.

Centraal stond nu de vraagstelling:

1 Voldoet het huidige, wettelijk verankerde ongevallenonderzoek aan de gestelde doelen of zijn er knelpunten?
2 Kan de organisatie van het huidige ongevallenonderzoek worden geoptimaliseerd?

Eveneens werd op 30 juni 1999 de Raad voor de Transportveiligheid door de minister van Verkeer en Waterstaat geïnstalleerd waarbij de minister onder andere zei dat het 'haar niet onbekend was dat sommigen van U vinden dat een andere opzet en structuur beter zou zijn geweest!' Om deze reden wilde de minister het functioneren van de Raad kritisch blijven volgen en na een jaar bezien hoe het een en ander verliep.

In principe was dit best een uniek moment in de geschiedenis van het onafhankelijk onderzoek, maar door de vele discussies over de structuur van deze Raad werd dit 'unieke' door velen niet meer beleefd.

Op 10 november 1999 vond nu de Kamerbehandeling plaats van het wetsvoorstel inzake de instelling van een ongevallenraad Defensie plaats. Zoals reeds opgemerkt had de minister zelf gezegd het wetsontwerp alleen te willen wijzigen of in te trekken als de Tweede Kamer deze mening zou zijn toegedaan. Deze zinsnede heeft vanzelfsprekend geleid tot veelvuldige contacten met de leden van de Vaste Kamercommissie van Defensie. Uit de volgende citaten van deze algemene beraadslaging valt waar te nemen dat de leden van de Tweede Kamer zich nu veel kritischer en positiever waren gaan opstellen over dat geïntegreerde veiligheidsdenken en over een bundeling van krachten.

Mevrouw Van Ardenne-van der Hoeven (CDA)
Voorzitter! De leden van de vaste commissie hebben in de afgelopen maanden verschillende keren met de voorzitter van de Raad voor de Transportveiligheid in oprichting, de Heer Mr. Pieter van Vollenhoven, gesproken. Hij pleit voor het samenvoegen van de Defensieongevallenraad met de Raad voor de Transportveiligheid. Zijn motivatie hiervoor is het krijgen van een onafhankelijk college dat ook eigener beweging onderzoek kan doen en het

verkrijgen van betere kwaliteit van de vooronderzoeker, die niet noodzakelijkerwijs uit de krijgsmacht hoeft te komen. Op de vraag van de leden van de vaste commissie aan de minister om dit verzoek nader te bezien, is door de minister tot nu toe niet inhoudelijk gereageerd.

De CDA-fractie onderkent de noodzaak om te komen tot een raad die over een wettelijk geregelde bevoegdheid beschikt om geheel onafhankelijk vooronderzoek en onderzoek naar de oorzaak van militaire ongevallen binnen defensie te land, ter zee en in de lucht te doen. De CDA-fractie hecht eraan de onafhankelijkheid van een dergelijk onderzoeksinstituut centraal te stellen. Zelfs de schijn van afhankelijkheid dient vermeden te worden. Zo staat het in de memorie van toelichting bij de Wet Raad voor de Transportveiligheid.

Dit had eigenlijk ook bij het huidige wetsvoorstel vermeld moeten worden. De vraag is of met dit wetsvoorstel de door ons gewenste onafhankelijkheid voldoende wordt gewaarborgd. Een tweede vraag is of het per se noodzakelijk is om naast de Raad voor de Transportveiligheid, die eveneens onafhankelijk onder- zoek verricht naar ongevallen te land, ter zee en in de lucht, een aparte raad voor defensieongevallen te hebben. Mevrouw de voorzitter! De CDA-fractie vindt dat er meer argumenten voor samenvoeging van en op zijn minst samenwerking tussen twee raden pleiten dan tegen. De onderscheiden werkterreinen transport te land, ter zee en in de lucht, wapens en munitie, en milieu hebben grote overeenkomsten. Bundeling van krachten en deskundigheid zijn op zichzelf al waardevol, maar vergroten bovendien de onafhankelijkheid ten opzichte van de minister. En dat is relevant. Alles overwegende, vindt de CDA-fractie samenvoeging van beide raden het meest logisch, waarbij de voorgestelde militaire kamers opgaan in de bestaande kamers van de Raad voor de

Transportveiligheid en een extra kamer voor militaire ongevallen wordt toegevoegd. Ten aanzien van het omgaan met geclassificeerde gegevens bij onderzoek zal er een aparte procedure moeten komen die goed moet worden vastgelegd.

Gelet op de reacties die schriftelijk zijn gegeven in het verslag en op onze houding nu – wij hebben niet meegedaan aan het schriftelijk verslag – ziet het ernaar uit dat een meerderheid van de Kamer de wens heeft om beide raden samen te voegen. Wat de CDA-fractie betreft, lijkt het dan ook wijs dat de minister met zijn beantwoording in eerste termijn daarmee rekening houdt. Waarom zouden wij nu uitputtend een wetsvoorstel gaan bespreken, als een meerderheid van de Kamer vindt dat het anders moet, dus dat integratie en onafhankelijkheid gewenst zijn? Het zou dan beter zijn om de behandeling van het voorliggend wetsvoorstel op te schorten om na ommekomst van beraad van de minister te bezien wat wij zouden moeten doen.

De heer Timmermans (PvdA)
Mevrouw de voorzitter! Bij de behandeling van dit wetsvoorstel moeten we goed kijken naar de filosofie die je hanteert bij ongevallenonderzoek. Ik ben, net als een aantal van mijn collega's, in de afgelopen weken op een duidelijke manier met de neus op de feiten gedrukt toen wij nogmaals werden geconfronteerd met gegevens over de Herculesramp. Het belangrijkste discussiepunt naar aanleiding van zo'n ongeval is steeds hoe onafhankelijk het onderzoek is. Iedere twijfel die over de onafhankelijk-heid van een onderzoek blijft hangen, leidt ertoe dat de conclusies van dat onderzoek in twijfel worden getrokken. Met andere woorden: de mate waarin een onderzoek en de conclusies staan, hangt voor een groot deel af van de mate van onafhankelijkheid van dat

onderzoek. Als de schijn blijft bestaan van een slager die zijn eigen vlees keurt, is dat funest voor de waarde van het onderzoek. Dat is de uitgangspositie van mijn fractie in deze discussie; dat is overigens al langer onze positie. Ik verwijs daarbij graag naar eerdere verslagen over dit onderwerp. De minister heeft in eerdere discussies een aantal argumenten naar voren gebracht voor een specifieke ongevallenraad Defensie. Mijn fractie heeft steeds vastgehouden aan het standpunt dat het voor een volledig en een zo onafhankelijk mogelijk onderzoek noodzakelijk is dat men uitgaat van dezelfde filosofie als indertijd bij de instelling van de Raad voor de Transportveiligheid. Ik heb de stukken nog eens doorgelezen die destijds een rol speelden in de discussie hierover die buiten het ministerie van Defensie werd gevoerd. Het viel mij daarbij op dat de argumentatie en de contra-argumentatie in die discussie sterk op elkaar leken. In dat licht bezien, ligt een integratie van beide vormen van onderzoek onder één raad zeker in de rede.

De minister heeft in eerdere discussies aangegeven drie redenen te zien waarom een specifieke Defensie-ongevallenraad in het leven moet worden geroepen.

Hij noemde als eerste reden de specifieke deskundigheid die nodig is bij ongevallen van militaire schepen en lucht-vaartuigen. Zijn tweede reden was de mogelijkheid dat geclassificeerde defensiebelangen in het geding zijn, denk aan geheimen die niet openbaar mogen worden. Als derde reden noemde hij het feit dat de resultaten van het onder-zoek van direct belang zijn voor de bedrijfsvoering en de bedrijfsontwikkeling. Dit zijn op zichzelf zeer valide argumenten die echter wel moeten worden afgewogen tegen de allesoverheersende eis van onafhankelijkheid. Ik houd staande dat het te prefereren valt om de raden samen te voegen. Ik nodig de minister uit nog eens in te gaan op zijn argumenten tegen een dergelijke samenvoeging.

Mevrouw Van 't Riet (D66):

Mijn fractie vindt dat er alles te zeggen is voor één ongevallenraad en niet voor een raad die specifiek voor Defensie bestaat. Er moet een integratie plaatsvinden met de Raad voor de Transportveiligheid. De minister stelt volgens de afspraak van verleden jaar de instelling van een ongevallenraad Defensie voor, maar dat spoort niet met elkaar. Mijn fractie heeft zich hierover beraden en komt tot de conclusie dat het ongewenst is de oude situatie te handhaven.

De heer Van den Berg (SGP):

Mevrouw de voorzitter! Ik wil dit wetsvoorstel graag bezien tegen de achtergrond van de noodzaak van een geïntegreerd veiligheidsbeleid. Dat thema heeft de laatste jaren terecht steeds meer nadruk gekregen. Nog niet zo lang geleden hebben we hier gesproken met de ministers van Binnenlandse Zaken en Koninkrijksrelaties en van Justitie over een integraal veiligheidsprogramma. Daarbij is uitdrukkelijk gezegd dat eigenlijk sprake is van een drieluik. Daarbij gaat het om het integraal veiligheidsprogramma, het politiebestel met de nota's daarover maar ook om het beleid met betrekking tot de externe veiligheid. Ook datgene waarover wij vandaag spreken behoort tot het geïntegreerd veiligheidsbeleid. Daartoe behoort dus systematisch aandacht voor onderzoek naar ongevallen en incidenten.

Het inzicht in onze samenleving dat een geïntegreerde benadering van de risico's die onze moderne samenleving op allerlei gebied met zich brengt zeer grote voordelen biedt, neemt toe. Daarom heeft mijn fractie met veel enthousiasme de totstandkoming van de Raad voor de Transportveiligheid gesteund. Wij achten die totstandkoming een zeer belangrijke ontwikkeling. Ik zeg dit omdat in het kader van de voorbereiding van het wetsvoorstel voor de instelling van de Raad voor de Transportveiligheid al door onze fractie de vraag is gesteld: waarom worden hier de defensieongevallen niet bij betrokken? Waarom werden die toen buiten het wetsvoorstel voor de Raad voor de Transportveiligheid gehouden? Deze vraag dient zich weer aan nu een wetsvoorstel wordt behandeld voor een aparte regeling voor onderzoek van de ongevallen bij Defensie.

Voorzitter! Mijn fractie heeft bij dit wetsvoorstel grote twijfels. Waarom is niet direct gestreefd naar een geïntegreerde benadering van het totale ongevallenbeleid en van de preventie op basis van het onderzoek van ongevallen enzovoorts? Dat had al eerder moeten gebeuren, maar zeker nu. Wij willen graag deze materie in een breder kader aan de orde stellen. De Raad voor de Transportveiligheid, die sedert kort operatief is, en de voorgenomen ongevallenraad Defensie begeven zich in grote lijnen beide op hetzelfde werkterrein. Voor het analyseren van ongevallen en incidenten is toch in feite eenzelfde specialistische kennis nodig.

De versnippering in deskundigheden die nu ontstaat, betreuren wij zeer. Wij zijn een klein land en wij hebben al onze deskundigheden nodig om een goed niveau van veiligheidsonderzoek en analyse tot stand te brengen. Door nu een aparte raad voor de ongevallen op defensiegebied in te stellen, wordt naar onze mening aan die efficiency afbreuk gedaan. Daarnaast heb ik al ten principale gewezen op de wenselijkheid van integratie. De minister beroept zich op het specifieke karakter van militaire ongevallen.

Mijn fractie heeft zeker veel begrip voor de bewering dat Defensie een eigen karakter heeft. Dat wil echter nog niet zeggen dat defensieongevallen en alles wat op dat terrein speelt in een apart gremium zouden moeten worden behandeld. Wij willen het belang van dit aspect dus niet ontkennen, maar wij menen dat ook in een geïntegreerde benadering daarin op zeer goede wijze zou kunnen worden voorzien. Ik denk daarbij aan het instellen van een afzonderlijke kamer.

Inderdaad was er – zoals de heer Van den Berg zei in het kader van de voorbereiding van het wetsvoorstel inzake de instelling van de Raad voor de Transportveiligheid – ook al een discussie geweest over de wenselijkheid om de defensie-ongevallen bij het werkterrein van de Raad voor de Transportveiligheid te betrekken.

Echter, de minister van Defensie verzette zich toen tegen een integratie van het defensieongevallenonderzoek in een op afstand van de politiek geplaatste civiele Raad. Naar zijn oordeel verzetten de aspecten van het gekwalificeerde karakter van defensiegegevens, zowel industriële belangen als belangen van staatsveiligheid en bondgenootschappelijke belangen, zich in ieder geval tegen samenwerking tussen die beide raden, alsmede tegen integratie tot één Raad.

De problematiek van mogelijk twee onderzoeken – met alle mogelijke consequenties van dien – diende zich snel na deze Kamerbehandeling aan en wel op 22 december 1999 toen een burgersportvliegtuig (een Piper PA 28-140) in botsing kwam met een militair vliegtuig, een F-16 van de Koninklijke Luchtmacht. Dit geschiedde tussen Etten-Leur en Hoeven in de provincie Noord-Brabant. Bij dit ernstige ongeval kwamen de twee inzittenden van het sportvliegtuig om het leven en wist de vlieger van de F-16 zich door middel van de schietstoel in veiligheid te stellen. Direct heb ik, als voorzitter van de Raad voor de Transportveiligheid, de minister van Defensie de vraag voorgelegd of hij één onderzoeksrapport prefereerde, of twee.

Mijn voorkeur ging vanzelfsprekend uit – gelet op de ervaringen met de Herculesramp – naar één onderzoeksrapport, maar dan wel onder de eindverantwoordelijkheid van onze Raad. De minister kon zich gelukkig met dit voorstel verenigen, met als gevolg dat het onderzoek werd uitgevoerd door de Raad voor de Transportveiligheid. De afronding van het rapport en de vaststelling van de aanbevelingen geschiedden in een gezamenlijke vergadering van de Raad voor de Transportveiligheid met de Raad van Advies inzake luchtvaartongevallen bij defensie. Het lag in de bedoeling om deze Raad van Advies eens te integreren in de nog op te richten Defensieongevallenraad.

Deze werkwijze heeft in de praktijk gelukkig geen enkel probleem opgeleverd en om de minister van Defensie ter wille te zijn, is het eindrapport allereerst voor een korte periode naar de minister toegestuurd, opdat hij zich kon beraden of hier bepaalde internationale geheimhoudingsverplichtingen in het geding konden zijn. Dit bleek – ook naar onze mening – niet het geval te zijn.

Dit praktijkvoorbeeld deed – mede gelet op de meerderheid van de Kamer die zich had uitgesproken voor de wenselijkheid van een integratie – de minister besluiten om na de Kamerbehandeling met een nota van wijzigingen te komen. Maar deze wijzigingen gingen niet verder dan het bevorderen van een zekere vorm van samenwerking, want van een mogelijke integratie was geen sprake. De minister wilde namelijk ook bij deze ongevalsonderzoeken politiek aanspreekbaar blijven, in het bijzonder op internationaal niveau, en garant staan voor een vertrouwelijke behandeling van staats- en defensiegeheimen. Wanneer het defensieonderzoek ondergebracht zou worden bij de Raad voor de Transportveiligheid zou naar zijn oordeel de politieke verantwoordelijkheid, die bij defensie zo belangrijk is, voor een groot deel wegvallen, hetgeen onwenselijk werd geacht.

Eigenlijk werd met dit antwoord – voor het eerst – nog eens heel duidelijk verwoord dat je bij defensie toen dus eigenlijk helemaal niet van onafhankelijke onderzoeken kon spreken.

Op 11 mei 2000 werd nu de tweede studie gepubliceerd naar de organisatie van het onafhankelijk onderzoek naar ongevallen en incidenten in ons land die door KPMG was uitgevoerd. KPMG schreef hierover onder andere in zijn inleiding dat door de technische ontwikkelingen in de negentiende en de twintigste eeuw een nieuwe dimensie van gevaren was ontstaan, waaraan mensen werden blootgesteld.

Men werd geconfronteerd met ongevallen die geen natuurrampen genoemd konden worden. Het bleken veelal onbedoelde en ongewenste gevolgen te zijn van de toepassing van nieuwe technische mogelijkheden. Teneinde de veiligheid van de burgers – tot op zekere hoogte – te waarborgen, ontwierp de overheid een stelsel van regels en toezicht dat bij elke volgende calamiteit weer verder werd bijgesteld. Wie de regels overtrad en daardoor een ongeval veroorzaakte, moest gestraft worden en de schade werd in toenemende mate afgewenteld op de verzekeraars.

Met dit ordeningsprincipe bleek men echter steeds meer tegen diverse grenzen aan te lopen. Het justitieel onderzoek naar de schuldvraag levert niet altijd het resultaat op waarop sommige partijen hoopten. Daarom is naast het justitieel onderzoek ook een ander type onderzoek in zwang gekomen dat bekendstaat als het diepgaand, onafhankelijk onderzoek naar de oorzaken en de gevolgen van ongevallen. Het doel daarvan is niet een antwoord te vinden op de schuldvraag, maar om lering te trekken uit wat er mis is gegaan om zo herhaling te voorkomen.

Bovendien kon, door helderheid te verschaffen aan slachtoffers en/of nabestaanden over wat er nu precies was gebeurd, eventuele maatschappelijke verontrusting worden weggenomen. Over het nut en de noodzaak van dergelijke onderzoeken bestond volgens KPMG brede consensus. In principe is iedereen er voor, maar vervolgens is er wel discussie over de invulling van het begrip onafhankelijkheid en over de wijze waarop deze onderzoeken georganiseerd zouden moeten worden. Niet zelden stond daarbij de doorzichtigheid van de gedane onderzoeken ter discussie.

KPMG had om deze reden een onderzoek verricht in Nederland naar de wijze waarop het onafhankelijk onderzoek in de diverse sectoren georganiseerd was of had moeten zijn.

Naast transport- en defensieongevallen dacht KPMG aan de industriële en kernongevallen, natuur- en milieurampen, gezondheidscalamiteiten en ernstige verstoringen van de openbare orde.

De belangrijkste conclusies en aanbevelingen waren:
− De nadrukkelijke scheiding die moest worden aangebracht tussen het diepgaand onafhankelijk onderzoek en het onderzoek naar de schuldvraag.
− Bij onafhankelijkheid vielen twee kenmerken te onderscheiden, te weten 'niet ondergeschikt' en 'los van belangen'. (Het was niet voldoende dat men zichzelf onafhankelijk acht. Essentieel is dat men het ook is in de perceptie van anderen!)
− Bij een onderzoek diende niet alleen gekeken te worden naar de aanloop tot het ongeval, maar ook naar de gang van zaken na het ongeval.
− De internationale samenwerking dient met betrekking tot het ongevalsonderzoek te worden bevorderd.
− De bestaande inspecties hebben niet de onafhankelijkheid die voor diepgaand onderzoek gewenst is. Toezicht en handhaving zijn immers gekoppeld aan ministeriële verantwoordelijkheid. Inspecties die een handhavingstaak hebben, kunnen zich zowel met de schuldvraag als het lering trekken bezighouden. De vorm en inhoud van diepgaand onderzoek dienen niet onderworpen te zijn aan ministeriële verantwoordelijkheid.
− Met betrekking tot de organisatie van het onafhankelijk onderzoek waren twee opties te onderscheiden:
  a. het onderzoek − in alle categorieën − werd ondergebracht in één raad;

b. het onderwerk werd ondergebracht in drie raden: de bestaande Raad voor de Transportveiligheid, de Defensie-ongevallenraad en één Raad voor de overige gebeurtenissen.

Het onderzoek dient naar het oordeel van KPMG voorlopig te worden ondergebracht bij drie onafhankelijke organen. Hierbij hoort een samenwerkingsverband van deze drie organen dat na enkele jaren geëvalueerd moet worden om te zien of een overkoepeling zinvol is.

Omdat het College Bevordering Veiligheidseffectstudies dit advies reeds tijdig in de conceptfase ter inzage had gekregen, kon ik minister mr. K. (Klaas) G. de Vries van Binnenlandse Zaken en Koninkrijksrelaties reeds op 11 mei 2000 berichten dat het college een andere mening was toegedaan dan KPMG. Het college adviseerde om te komen tot één onderzoeksraad.

Het voorgestelde samenwerkingsverband dat de onderliggende sectoren niet werkelijk (wettelijk) kon aansturen, werd naar onze mening al snel een ingewikkelde extra laag zonder toegevoegde waarde. Ook bleef in dit advies de regiefunctie problematisch bij sectoroverschrijdende ongevallen met als gevolg dat meerdere onderzoeksrapporten zouden worden uitgebracht. Eveneens konden in deze benadering de drie onafhankelijke onderzoeksorganisaties qua opzet, werkwijze en bevoegdheden zeer grote verschillen tonen met als gevolg dat de kwaliteit van de onderzoeken uiteen zou kunnen gaan lopen.

Het samenwerkingsverband, zoals voorgesteld, was geen waarborg om de kwaliteit van de onderzoeken op eenzelfde hoog niveau te brengen. Het onafhankelijk onderzoek had – naar ons oordeel – alleen waarde, indien er één gezaghebbend rapport kon worden opgesteld.

Bovendien zou één organisatie – ook in internationaal verband – meer duidelijkheid geven en gezaghebbender zijn dan drie.

Overigens vind ik het, terugblikkend, best opvallend dat zo'n adviesbureau niet zijn vingers gaat branden aan een uitspraak of er één raad zou moeten komen. Indertijd, in mei 1993, werd in het advies van het bureau over een mogelijke bundeling van krachten van de onderzoeksraden in de transportsectoren eveneens gesteld dat een bundeling van de bestaande raden tot stand moest worden gebracht met behoud van ieders bevoegdheden. Dit zou moeten geschieden via een voorzittersoverleg, waarin nadere voorstellen voor een bundeling van raden in onderlinge samenhang moest worden uitgewerkt.

Ook nu, op 11 mei 2000, werd weer gesteld dat een samenwerking van de drie raden essentieel is. Dit biedt de mogelijkheid een groeitraject te bewandelen: na bijvoorbeeld twee jaar zal een evaluatie moeten uitwijzen of een overkoepeling van de drie organen zinvol is. Waarschijnlijk moet je dit soort zinnen blijven schrijven als je je als onderzoeksbureau niet uit de markt wilt prijzen!

Maar zeer vergelijkbaar met het jaar 1993 zou het jaar 2000 zich op het gebied van het onafhankelijk onderzoek stormachtig ontwikkelen. Twee dagen later, op 13 mei 2000, werd ons land immers geconfronteerd met de zeer ingrijpende explosie bij het vuurwerkbedrijf se Fireworks in Enschede. Deze vuurwerkramp kostte 22 personen het leven, onder wie vier brandweermannen, ongeveer 950 personen raakten hierbij gewond, van wie een aantal zeer ernstig. De materiële schade was aanzienlijk.

De betrokken overheden besloten al in de eerste dagen na de ontploffing om een grondig en integraal onafhankelijk onderzoek in te stellen. Daartoe is op 26 mei 2000 de Commissie Vuurwerkramp geïnstalleerd, waarvan mr. dr. M. Oosting voorzitter werd.

Gelet op het advies van het College Bevordering Veiligheidseffectstudies om te komen tot één onderzoeksraad in ons land kon ik in het Radio 1-journaal op 17 mei niet anders opmerken dan dat het in de toekomst mijn wens zou zijn om in ons land te komen tot één onafhankelijke onderzoeksraad voor alle ongevallen. De samenleving, de burgers hebben immers het recht om precies te mogen weten wat er zich heeft afgespeeld. Dan is het kunnen beschikken over één onderzoeksraad van groot belang. Eveneens vond ik het bezwaar van afzonderlijk ingestelde onderzoekscommissies dat zij na het onderzoek weer werden opgeheven.

Zo verdween niet alleen 'het geheugen', maar tevens kon niet meer 'onafhankelijk' worden gecontroleerd wat er met de aanbevelingen was gebeurd. Daarnaast moest iedere afzonderlijk ingestelde commissie weer opnieuw zijn eigen onderzoeksmethode gaan vaststellen.

Op 21 juni 2000 schreven minister K.G. de Vries en staatssecretaris G.M. de Vries van Binnenlandse Zaken en Koninkrijksrelaties een brief aan de voorzitter van de Tweede Kamer, waarin zij het kabinetsstandpunt over de toekomst van het onafhankelijk onderzoek naar ernstige ongevallen en rampen in ons land bekendmaakten. Het kabinet volgde in deze brief het KPMG-advies en stelde voor om in het onafhankelijk onderzoek drie sectoren te onderscheiden. Daarmee werden de in gang gezette trajecten voortgezet, zoals de Raad voor de Transportveiligheid, het wetsvoorstel Ongevallenraad Defensie, en voor de overige ongevallen zou een Commissie Rampen en Calamiteiten in het leven worden geroepen.

Efficiencyvoordelen van één raad konden ook met drie genoemde organisaties worden bewerkstelligd. Samenwerking tussen de organisaties werd wel noodzakelijk geacht. De behoefte aan onafhankelijk onderzoek naar grootschalige ordeverstoringen werd vooralsnog niet wenselijk geacht. Het kabinet was van mening dat de beoogde commissie voor de overige ongevallen geen fulltimevoorziening hoeft te zijn, maar een gekwalificeerde groep personen die voor een deel van hun tijd dit onderwerp behartigt.

Ik kan mij altijd zo gigantisch opwinden over dit soort verschrikkelijke onzinbrieven. Bij de overige ongevallen spreek je immers over de werkterreinen: industrie, kernenergie, gezondheidszorg van mens en dier, natuur en milieu, alsmede over de rampenbestrijding. En dan die zinsnede, dat het kabinet van mening is dat 'de beoogde commissie hiervoor geen fulltimevoorziening hoeft te zijn'!

Je spreekt bij het onafhankelijk onderzoek niet alleen over onderzoek naar ongevallen, maar ook over onderzoek naar bijna-ongevallen!

Uit deze brief blijkt toch weer overduidelijk dat het ministerie van Binnenlandse Zaken en Koninkrijksrelaties geen idee heeft waarover het spreekt. Helaas is dat natuurlijk ook de werkelijkheid, want het departement heeft ook geen idee van wat er zich bijvoorbeeld afspeelt in de medische wereld als het gaat om veiligheidsproblemen.

Om de vereiste samenhang te realiseren en de efficiency te bevorderen, werd nu een samenwerkingsverband voorgesteld, waarin de voorzitters van de drie organisaties zitting hebben. Taken van dit samenwerkingsverband worden het bevorderen van standaardisatie in onderzoeksmethodologie, de afstemming naar sectoroverschrijdende ongevallen en het inzetten van deskundigheden over de sectorale grenzen heen. Bij het onderzoek naar sectoroverschrijdende ongevallen zal de voorzitter van de Commissie Rampen en Calamiteiten voor de coördinatie van het onderzoek zorg dragen.

In deze brief (van juni 2000) werd verder met geen woord gerept over de uiteenlopende opvattingen met betrekking tot het functioneren en de organisatie van de Raad voor de Transportveiligheid en de mogelijk nog in te stellen Defensieongevallenraad. Tevens zou de nog in te stellen Commissie van Rampen en Calamiteiten voorlopig nog moeten functioneren zonder enige wettelijke verankering met als gevolg dat de tijdelijk ingehuurde onderzoekers niet konden beschikken over enige wettelijke bevoegdheden of bescherming.

Het verkokerde veiligheidsdenken was er anno juni 2000 helaas nog steeds en het ministerie van Binnenlandse Zaken en Koninkrijksrelaties wilde – net als adviesbureau KPMG of net als indertijd het ministerie van Verkeer en Waterstaat – op geen enkele wijze de vingers branden aan het doorbreken van de autonomie of van de sectorale grenzen.

Merkwaardig genoeg waren de meningen uit de Kamerdebatten van 10 november 1999 over de nog in te stellen Defensieongevallenraad kennelijk nog geenszins doorgedrongen tot het ministerie van Binnenlandse Zaken. Want in de Kamer was immers de heersende opvatting over het integraal veiligheidsdenken: 'Waarom zouden wij uitputtend een wetsvoorstel gaan bespreken als de meerderheid van de Kamer vindt dat het anders moet, dus dat integratie en onafhankelijkheid gewenst zijn?'

Op 4 oktober 2000 heeft de Vaste Commissie voor Binnenlandse Zaken en Koninkrijksrelaties uitvoerig met de minister en de staatssecretaris gesproken over deze brief van 21 juni.

De heer Van den Berg (SGP) vroeg zich af of het voorgestelde groeimodel wel effectief was. Zijn voorstel was om de werking van de Raad voor de Transportveiligheid te evalueren, geen aparte Ongevallenraad Defensie in te stellen en zo snel mogelijk te zorgen voor een wettelijke basis voor één overkoepelende onderzoeksinstantie, zo nodig met verschillende kamers.

Ook de heer Van den Doel (VVD) vond de argumenten van de regering voor een groeimodel niet overtuigend. Hij gaf er de voorkeur aan een overkoepelende raad voor veiligheidsonderzoek in te stellen.

Hij steunde de heer Van den Berg voor een snelle evaluatie van de Raad voor de Transportveiligheid en zo mogelijk in 2001 al een wetsvoorstel voor een nationale ongevallenraad in te dienen. Ook de heer Mosterd (CDA) sloot zich aan bij het pleidooi voor de bundeling van expertise in één onafhankelijke raad. Dit gold eveneens voor mevrouw Oedayraj Singh Varma (GroenLinks), en ook de fractie van de PvdA wilde bij monde van mevrouw Wagenaar snel de instelling van één onafhankelijke onderzoeksraad op wettelijke basis.

Minister De Vries hield in dit debat een slag om de arm, omdat hij zich niet te veel wilde bemoeien met de discussie die de Kamer voerde met de minister van Defensie over de nog in te stellen Ongevallenraad Defensie. Het doel is uiteindelijk wel een overkoepelende instantie, maar in de brief is aangegeven dat een groeimodel – afhankelijk van de feitelijke ontwikkelingen – de opzet zou kunnen zijn om te komen tot één Raad.

In de nadere gedachtewisseling hieromtrent bleef de Kamer zich echter op het standpunt stellen dat nu al de nodige voorbereidingen op het gebied van wetgeving moesten worden getroffen om te komen tot de instelling van één nationale ongevallenraad. De minister zegde toe het gevoelen van de commissie aan de ministerraad voor te leggen en haar uiterlijk volgend voorjaar (2001) te informeren over de verdere procedure om te komen tot één nationale raad. Naar aanleiding van dit debat verscheen het volgende persbericht van het ANP hierover.

DE VRIES TEGEN HAASTIGE SPOED BIJ OPRICHTEN RAMPENRAAD

Den Haag (ANP) – De Tweede Kamer wil dat er zo snel mogelijk één overkoepelende Raad voor Veiligheidsonderzoek komt, en dat niet eerst een Ongevallenraad Defensie wordt opgericht. Minister De Vries van Binnenlandse Zaken gaf woensdag tijdens een overleg niet toe aan deze druk. Hij wil de kwestie eerst bespreken in het kabinet.

De regering zit op de lijn van de accountantsorganisatie KPMG, die in een rapport aangeeft hoe het onderzoek naar allerlei ongevallen in ons land het best georganiseerd kan worden. Het kabinet wil zo snel mogelijk een commissie Rampen en Calamiteiten oprichten, nog voordat wettelijk geregeld is welke bevoegdheden deze commissie krijgt. Die commissie functioneert dan naast de anderhalf jaar geleden opgerichte Raad voor de Transportveiligheid en een nog op te richten Ongevallen-raad Defensie. Vervolgens kan het dan in een – wat minister De Vries noemt – 'groeimodel' komen tot een samenvoeging van de drie instanties in een onafhanke-lijke veiligheidsraad.

Het parlement zit echter Kamerbreed op de lijn van Mr. Pieter van Vollenhoven, de voorzitter van de Raad voor de Transportveiligheid. Hij denkt dat als nu gekozen wordt voor een extra nieuwe raad, een 'integrale raad' nog lang op zich zal laten wachten.

Minister De Vries zal in ieder geval zo snel mogelijk een commissie benoemen, die direct klaarstaat als er een ramp gebeurd is. De bewindsman betreurt het dat bij de vuurwerkramp in Enschede kostbare tijd verspeeld is, doordat eerst de onafhankelijke commissie-Oosting geformeerd moest worden. De Tweede Kamer dringt er vooral op aan dat de toekomstige Raad voor Veiligheids-onderzoek echt onafhankelijk wordt. Dat kan onder meer door de raad te voorzien van een eigen staf die niet is aangewezen op onderzoek door inspecties.

De minister van Binnenlandse Zaken en Koninkrijks-relaties liet op 3 november 2000 de Vaste Commissie voor Binnenlandse Zaken en Koninkrijksrelaties in een brief weten dat in overleg met de betrokken collega's is gebleken dat de totstandkoming van één overkoepelende Raad voor het kabinet in beeld blijft, maar dat de snelste weg daarnaartoe besproken is met de Kamer en is neergelegd in de brief van 21 juni 2000. In het voorjaar van 2001 zal de minister de Kamer informeren over de stand van zaken rond de Raad voor Rampen en Calamiteiten en kunnen aangeven hoe het kabinet het vervolgtraject ziet.

Op 16 november besteedde het televisieprogramma *NOVA* nog aandacht aan de status van de commissie-Oosting, waarvoor wij beiden waren uitgenodigd. In dit programma lichtte ik nog eens de betekenis toe – ook voor de slachtoffers – van één eensluidende wettelijke regeling voor alle onderzoeken in ons land. Je kon toch niet werken met verschillende opvattingen over het begrip onafhankelijkheid, en voor het lering kunnen trekken was een strikte – wettelijke – scheiding met het strafrecht een vereiste. Ik zag de commissie van de heer Oosting als een noodgreep en zijn bevoegdheden en zijn wettelijke bescherming waren te mager.

De heer Oosting vond dat hij bij zijn werkzaamheden nauwelijks problemen was tegengekomen als gevolg van de beperkte bevoegdheden. Hij was het eens dat in de toekomst het onafhankelijk onderzoek structureel goed georganiseerd diende te worden. Daarbij was het belangrijk dat alle facetten van een mogelijke ramp in één onderzoek aan de orde zouden komen, zodat versnippering kon worden voorkomen.

Terwijl het kabinet bleef vasthouden aan zijn standpunt – verwoord in de brief van 21 juni – schaarde de Tweede Kamer zich achter mijn opvattingen. Bij een Kamerdebat op 28 november met de minister van Binnenlandse Zaken en Koninkrijksrelaties over integraal veiligheidsonderzoek diende het PvdA-fractielid Wagenaar een motie in, waarin zij de regering verzocht op korte termijn een wetsvoorstel voor te bereiden om te komen tot één onafhankelijke onderzoeksraad voor rampen en zware ongevallen. In de Kamer noemde zij het onafhankelijk onderzoek in Nederland 'onvoldoende en versnipperd' en het installeren van een onderzoekscommissie nadat de ramp had plaatsgevonden 'de verkeerde manier'. De motie werd met algemene stemmen aangenomen, waarop de minister toezegde deze kwestie te bespreken met het kabinet alvorens tot een besluit te komen.

Motie onafhankelijk ongevallenonderzoek (28 november 2000)

De Kamer,

Gehoord de beraadslaging,

Constaterende dat er in Nederland onvoldoende voorzieningen bestaan om onafhankelijk en integraal onderzoek naar rampen en zware ongevallen te waarborgen,

Constaterende dat voor het onafhankelijk integraal onderzoek naar de ramp in Enschede een tijdelijke voorziening moest worden getroffen, nadat de ramp had plaatsgevonden,

Overwegende dat in het belang van waarheidsvinding en het leren van lessen voor de toekomst een permanente onafhankelijke onderzoeksinstanties, die integraal onderzoek kan verrichten gewenst is,

Overwegende dat de met dergelijk onderzoek belaste instantie over een wettelijk geregelde bevoegdheid voor het betreden van plaatsen en het oproepen en horen van getuigen moet kunnen beschikken,

Overwegende dat er voor onderzoek naar ongevallen met militaire schepen en luchtvaartuigen specifieke (NAVO) voorschriften bestaan,

Overwegende dat het werkterrein van de Transportongevallenraad ook een specifiek deelgebied beslaat,

Verzoekt de regering op korte termijn een wetsvoorstel
voor te bereiden om te komen tot een onafhankelijke
onderzoeksraad voor rampen en zware ongevallen,
waaronder transportongevallen en overige ongevallen,
zoals defensieongevallen.

En gaat over tot de orde van de dag.

Wagenaar
Scheltema-de Nie
Van den Doel
Mosterd
Van der Steenhoven
Van den Berg

Natuurlijk ben ik nog steeds nieuwsgierig welk besluit het
kabinet uiteindelijk zou hebben genomen naar aanleiding
van deze motie. Eerlijk gezegd, denk ik dat het kabinet tot
de laatste snik de komst van die drie voorgestelde raden zou
hebben verdedigd. Echter, alles kreeg op dit gebied een andere wending, doordat enkele minuten na het inluiden van
het nieuwe jaar 2001 ons land werd opgeschrikt door de verschrikkelijke brand in Volendam.

In Café De Hemel veranderde de feestelijke nieuwjaars-
stemming in een afschuwelijke tragedie, doordat een brand
daar snel om zich heen greep. Hierbij kwamen 14 jongeren
om het leven en raakten 250 personen gewond, enkele zeer
ernstig. De meerderheid van deze slachtoffers was jonger dan
twintig jaar! Naar aanleiding van deze rampzalige gebeurtenis besloot natuurlijk de ministerraad direct – op 15 januari
2001 – tot de instelling van een onafhankelijke onderzoekscommissie naar deze 'cafébrand nieuwjaarsnacht 2001'. De

heer J.G.M. Alders (oud-commissaris van de Koningin in Groningen) werd hiervan benoemd tot voorzitter.

Min of meer rond dezelfde tijd verschenen eveneens de eerste onderzoeksrapporten van acht rijksinspecties naar de vuurwerkexplosie in Enschede. Direct circuleerden de berichten dat de lagere overheden gefaald zouden hebben bij de controle op de naleving van vele bepalingen in de vergunningen.

De minister van Binnenlandse Zaken en Koninkrijksrelaties liet zich echter in het actualiteitenprogramma NOVA (van 15 januari 2001) niet verleiden tot voorbarige uitspraken en zei dat hij met zijn oordeel wilde wachten op het rapport van de onderzoekscommissie-Oosting die alle bevindingen van de rijksinspecties in zijn eindrapport zou verwerken.

Na de motie om te komen tot één onderzoeksraad, na de cafébrand in Volendam en na het verschijnen van de acht inspectierapporten van de vuurwerkramp in Enschede was de discussie over de komst van één onderzoeksraad natuurlijk weer in volle gang gekomen. Natuurlijk benadrukte ik meerdere keren de voordelen die verbonden zouden zijn aan de aanwezigheid van één permanente onderzoeksraad in plaats van iedere keer weer een nieuwe onderzoekscommissie te moeten instellen.

Deze gebeurtenissen deden nu het kabinet besluiten – op 16 februari 2001 – om in Nederland te komen tot de instelling van één onafhankelijke onderzoeksraad voor alle ongevallen en eveneens voor alle sectoren. Hiervoor zou direct een speciale interdepartementale projectorganisatie in het leven worden geroepen. Een projectgroep die onder andere tot taak kreeg om de diverse aspecten van integraal en onafhankelijk onderzoek in kaart te brengen en een wettelijke regeling voor te bereiden.

Natuurlijk was dit een fantastisch besluit, omdat hiermee

een lang gekoesterde wens – na weliswaar een jarenlange strijd – in vervulling was gegaan. Tevens was met dit besluit de weg geëffend om de aanwezige onvolkomenheden in de wet van de Raad voor de Transportveiligheid recht te zetten, en ook om de verkeerde voorstellen in het ingediende wetsvoorstel Ongevallenraad Defensie aanzienlijk te verbeteren.

Maar te vroeg juichen heb ik bij het werkterrein 'onafhankelijk onderzoek' door de jaren heen wel afgeleerd. Want het zou uiteindelijk toch nog vier jaar gaan duren voordat de Onderzoeksraad voor Veiligheid in februari 2005 van start kon gaan.

In het wetsvoorstel Rijkswet Onderzoeksraad voor Veiligheid, dat op 16 oktober 2002 werd ingediend, zaten namelijk nog twee essentiële punten waar eigenlijk niet mee viel te leven als je daadwerkelijk over een onafhankelijk onderzoek zou willen spreken.

Allereerst kon men oprecht grote vraagtekens plaatsen achter de onafhankelijkheid van de Raad, en bovendien was er geen goede scheiding tot stand gebracht tussen het onafhankelijk onderzoek en het strafrechtelijk onderzoek. Verder was het budget van de Raad wegens gebrek aan ervaring op het departement een bedrag geworden dat werkelijk nergens op was gebaseerd.

In het wetsvoorstel was – waarschijnlijk uit angst voor het begrip 'onafhankelijkheid' – de principiële fout gemaakt dat drie ministers, die van Defensie, van Justitie en van Binnenlandse Zaken en Koninkrijksrelaties, een bovenmatige bevoegdheid hadden gekregen om in het werk van de Raad – het conceptonderzoeksrapport – te mogen interveniëren. Ter wille van een waarborg inzake militaire vertrouwelijke gegevens, staatsveiligheidszaken en justitiële belangen, zoals het niet belemmeren van strafrechtelijke onderzoeken, konden deze ministers wijzigingen aanbrengen in de conceptonderzoeksrapporten van de Raad.

Deze interventiemogelijkheden waren naar mijn overtuiging volledig in strijd met de filosofie van het onafhankelijk onderzoek. Je kunt immers niet met ministers en/of ministeries gaan onderhandelen over 'wat er wel of niet in de onderzoeksrapporten mag worden opgenomen'.

Je kunt wel in het openbaar beweren dat er geen wijzigingen in de conceptonderzoeksrapporten zijn aangebracht, maar deze zin alleen al tast in hoge mate de geloofwaardigheid als onafhankelijk onderzoeksinstituut aan.

Als ministeries de mening zijn toegedaan dat bepaalde informatie vertrouwelijk moet blijven, moet men de Raad hierover gewoon informeren en het is de verantwoordelijkheid van de Raad om hiermee op de juiste manier om te gaan.

Nu werd gesteld dat *niet* aan de Raad kan worden overgelaten dat gerubriceerde en vertrouwelijke informatie ook daadwerkelijk vertrouwelijk blijft. Deze verantwoordelijkheid kan niet worden gedelegeerd aan een onafhankelijk van de regering opererende Raad.

Dit debat over de onafhankelijkheid van de nieuwe Raad is, tijdens de Kamerbehandeling op 26 juni 2003, zelfs geëindigd in een impasse, omdat de minister van Binnenlandse Zaken en Koninkrijksrelaties, de heer Remkes, de aanneming van een aantal amendementen die voorzagen in een essentiële afslanking van de ministeriële interventiemogelijkheden sterk ontraadde. En daar bleef het niet bij, de minister gaf zelfs aan het wetsvoorstel te zullen intrekken als deze amendementen toch zouden worden aangenomen. Daarop achtte de Kamer het verstandig de stemmingen over dit wetsvoorstel aan te houden. Dit aanhouden zou de ruimte geven om te bezien of de Raad van State (opnieuw) om advies zou kunnen worden gevraagd.

De heer Van der Staaij (SGP) diende toen, gesteund door een meerderheid van de Tweede Kamer, een motie in:

Overwegende dat de regering zwaarwegende bezwaren heeft geuit tegen een aantal ingediende amendementen die een beperking behelzen van de ministeriële interventiemogelijkheden,

Overwegende dat hierbij de belangrijke vraag aan de orde is hoe in de wettelijke regeling evenwichtig recht kan worden gedaan aan enerzijds de onafhankelijke positionering van de Raad en anderzijds de borging van vertrouwelijke informatie, waarvoor ministers verantwoordelijk zijn,

Verzoekt de regering het advies van de Raad van State hierover in te winnen en de Kamer daarover te informeren.

Volgens de heer Van der Staaij betekent deze motie niet dat de indieners hun oordeel laten afhangen van het oordeel van de Raad van State. Het zou alleen verhelderend zijn als de Raad van State hierover zijn licht zou laten schijnen en het blijft de eigen verantwoordelijkheid van de Kamer hoe daar vervolgens mee moet worden omgegaan.

Minister Remkes vond dat hij de Kamer vergaand tegemoet was gekomen via zijn derde nota van wijzigingen en dat hij bereid was om de onderzoeksraad versneld te laten evalueren, omdat hij begrip had voor de argumenten van de Kamer. Precies zoals bij de Kamerbehandeling van de Raad voor de Transportveiligheid was geschied, werd ook hier weer voorgesteld om de onderzoeksraad versneld te laten evalueren. Onjuistheden in de wet worden wel herkend en onderschreven met de woorden 'Ik heb begrip voor de argumenten van de Kamer', maar de aanpassingen worden het liefst doorgeschoven naar een 'versnelde' evaluatie. Het bezwaar van een dergelijke gang van zaken is natuurlijk dat je als voorzitter of als raad wel verantwoordelijk wordt voor het functioneren van de raad en ook voor de weeffouten die volledig bekend zijn, maar waarover je eigenlijk niet meer kunt spreken tot de evaluatie heeft plaatsgevonden. Je hebt ze bij de installatie min of meer aanvaard.

Gelukkig heeft de Tweede Kamer niet gekozen voor de procedure van een versnelde evaluatie, want met een grote meerderheid van stemmen schaarde de Kamer zich achter de motie van de heer Van der Staaij om het advies van de Raad van State hierover opnieuw in te winnen.

Een ander essentieel kritiek punt was de aangebrachte scheiding tussen het onafhankelijk onderzoek en het strafrechtelijk onderzoek, het onderzoek naar de beantwoording van de schuldvraag.

Het spanningsveld tussen deze beide onderzoeken vloeit voort uit het essentiële verschil dat je als (mogelijke) verdachte in het strafrecht mag zwijgen. Niemand behoeft immers bij te dragen aan zijn of haar veroordeling. Terwijl je juist bij het onafhankelijk onderzoek wilt bewerkstelligen dat de getuigen en de betrokkenen – om lering te kunnen trekken – bereid zijn om alles te willen en te kunnen zeggen. Wettelijk moet dus heel goed – minstens zo goed mogelijk – worden geregeld dat de getuigen en de betrokkenen bij de onafhankelijke onderzoeken door hun medewerking aan de 'openbare' onderzoeksrapporten niet alsnog in een strafrechtelijk onderzoek kunnen belanden.

Het onderzoeksrapport van de Raad is vanzelfsprekend openbaar en kan natuurlijk hierdoor voor een strafrechtelijk onderzoek altijd als sturingsmechanisme dienen, maar naar onze mening moest wettelijk helder worden vastgelegd dat het onderzoeksrapport van de Raad nooit als bewijs in rechtsgedingen mag worden gebruikt.

Bij de Raad voor de Transportveiligheid had ik namelijk ervaren dat in een aantal gevallen onze rapporten 'wel' in strafzaken waren gebruikt (zoals het incident met Delta

Airlines, waarbij verkeersleiders, naar aanleiding van een klacht van de piloot, werden vervolgd, of het ongeval met een helikopter bij een boorplatform in de Noordzee, waarbij de piloot werd vervolgd). Een onafhankelijk onderzoek sluit vanzelfsprekend zeker geen strafrechtelijk onderzoek uit, maar een onafhankelijk onderzoeksrapport mag, vanwege het vrijuit spreken, nooit als bewijs in een strafrechtelijk onderzoek dienen.

Met een amendement van de Kamerleden Van der Staaij en Van der Ham werd bewerkstelligd dat de eindrapportages van de Raad niet als bewijs in rechtsgedingen mochten worden gebruikt. Enkele Kamerleden konden zich met deze motie niet verenigen.

'Ik kan het aan de mensen in Volendam niet uitleggen, als er een rapport is met als conclusie dat iemand schuldig of verantwoordelijk is, terwijl de persoon wordt vrijgesproken, omdat dat via een ander traject misschien niet kan worden bewezen. Dat verhaal kan ik niet uitleggen. Daarom wil ik Uw amendement niet steunen. Bovendien is een rapport van de onderzoeksraad gebaseerd op feiten en op onderzoek. Dan behoort dat ook deel uit te kunnen maken van het strafrechtelijk traject.'

De Raad van State kwam op 10 november 2002 met een tweede advies over de relatie tussen de onafhankelijkheid van de Raad en de ministeriële verantwoordelijkheid voor de bescherming van vertrouwelijke informatie.

Kort gezegd was de Raad van State hierover van oordeel dat de bijzondere ministeriële bevoegdheden, zoals in het wetsvoorstel was voorzien, niet nodig waren om de vereiste geheimhouding te verzekeren. De Raad van State adviseerde dan ook om deze bevoegdheden te schrappen. De taak van de onderzoeksraad leidt ertoe dat de Raad geheime informatie nodig kan hebben, maar verstrekking van deze informatie is niet automatisch hetzelfde als openbaarmaking.

De onderzoeksraad behoort hierover een eigen afweging

te maken. Dit geldt bijvoorbeeld ook voor rechters, die onder omstandigheden soms recht moeten spreken op basis van stukken zonder dat de inhoud daarvan bekend mag worden gemaakt. De onderzoeksraad kan immers ook – op grond van deze regeling – beslissen om een lopend onderzoek te staken als er bijvoorbeeld sprake mocht zijn van 'te veel' geheime informatie of van 'onvoldoende' medewerking van de minister.

Overigens vond ik het zelf wel opmerkelijk dat de Raad van State in zijn eerste advies d.d. 22 maart 2002 – naar aanleiding van het voorstel tot instelling van de Onderzoeksraad voor Veiligheid – met geen woord over deze materie had gerept. Een mening die door de VVD-fractie werd gedeeld. 'De fractie van de VVD had eerst geen behoefte aan dit advies, maar is achteraf wel blij met het doorwrochte advies van dit hoog College van Staat.

Wel wil ik mijn teleurstelling erover uitspreken dat de Raad van State in zijn eerste advies (22 maart 2002) hierop niet is ingegaan.'

Ten slotte is nog uitvoerig gesproken over het budget van de Onderzoeksraad, omdat de begroting – door gebrek aan kennis en/of voorbereidingen – nergens op was gebaseerd. In eerste instantie gold dat indertijd ook – weliswaar in veel mindere mate – voor de Raad voor de Transportveiligheid. Ook hier waren de werkterreinen ten opzichte van de oude bestaande raden uitgebreid, waarmee in de begroting eigenlijk geen rekening was gehouden. Bij de Raad voor de Transportveiligheid werd bijvoorbeeld de sector 'Rail c.q. Spoor' uitgebreid met de onderzoeken naar de tramongevallen, maar ook met de onderzoeken naar de ongevallen met buisleidingen.

Tevens werd de nieuwe Raad voor de Transportveiligheid wettelijk verplicht om *alle* binnenvaartongevallen te onderzoeken, hetgeen er in de praktijk zo'n driehonderd per jaar bleken te zijn. Gelukkig hebben wij deze problemen met het ministerie van Verkeer en Waterstaat relatief snel weten op te lossen met als gevolg dat het budget voor de Raad voor de Transportveiligheid uiteindelijk zo'n € 5,4 miljoen per jaar bedroeg.

Voor de nieuwe Onderzoeksraad voor Veiligheid zat het budget veel slordiger in elkaar.

Voor de nieuwe werkterreinen – te weten industrie, defensie, gezondheidszorg van mens en dier, natuur en milieu, alsmede de rampenbestrijding (omvangrijke werkterreinen) – werd het bestaande budget van de Raad voor de Transportveiligheid met slechts € 2,7 miljoen verhoogd. Nooit heb ik kunnen achterhalen of een notitie kunnen vinden op welke uitgangspunten dit bedrag nu was gebaseerd. Ernstige ongevallen, zoals rampen, kun je niet begroten. Daarvoor moet je te allen tijde een financieel beroep kunnen doen op het ministerie van Binnenlandse Zaken en Koninkrijksrelaties. Het enige probleem is hierbij wel dat, zoals reeds eerder opgemerkt, niemand precies weet wanneer er sprake is van een ramp.

De taak van de Onderzoeksraad is volgens de wet om 'voorvallen' te onderzoeken of bijna-ongevallen (incidenten), waarbij tevens sprake is van maatschappelijke verontrusting. Een brede en ruimte taakstelling! Gebaseerd op de opgedane ervaringen met de onderzoeken bij de Raad voor de Transportveiligheid zouden naar onze mening voorlopig twee nieuwe werkterreinen moeten worden geschrapt.

De minister van Verkeer en Waterstaat had mij ook al snel – per brief – laten weten dat het ministerie zou meewerken aan de totstandkoming van de nieuwe onderzoeksraad, maar dat deze raad zowel vooraf als achteraf in zijn verslag moest aangeven in hoeverre aan de verschillende (transport)sectoren aandacht wordt en werd besteed. Op grond van deze informatie kon dan worden besloten in hoeverre de taak van de Raad voor de Transportveiligheid onverkort in de nieuwe raad zou kunnen worden voortgezet. Kortom, de minister

voelde er zeer weinig voor dat *haar* budget voor andere onderzoeken – dan in de transportsectoren – zou worden gebruikt.

In een van mijn vele brieven aan de Tweede Kamer (d.d.
15 november 2004) stelde ik de leden van de Tweede Kamer
voor om zich, in overleg met de minister van Binnenlandse
Zaken en Koninkrijksrelaties, te beraden over op welke twee
werkterreinen voorlopig (uitgezonderd rampen) geen onderzoeken zouden worden uitgevoerd. Dit laatste zou je,
naar onze mening, alleen kunnen voorkomen met een ver-
hoging van het budget met € 1 miljoen. Voor de transportsectoren bestaan namelijk veel meer internationale verplichtingen om onderzoeken uit te voeren dan voor de nieuwe
toegevoegde werkterreinen, vandaar dat hier met een lager
aanvangsbedrag zou kunnen worden gestart.

De minister liet echter in een spoedbrief (d.d. 30 november 2004) aan de Tweede Kamer weten dat, gelet 'op de onafhankelijke positie van de raad, door de raad zelf moest
worden geprioriteerd op welke terreinen – naast die van
transport en defensie – onderzoek zal worden verricht'. De
brief vermeldde tevens dat 'in de uitvoering van de begroting van de Onderzoeksraad voor Veiligheid in 2005 zal worden bezien of daadwerkelijk € 1 miljoen extra benodigd is'.

Helaas kon ik mij in deze gedachtegang van de minister
geenszins vinden. De onafhankelijke positie van de raad, die
om deze reden zelf moet kunnen prioriteren, is in zijn alge-
meenheid wel juist en onderschrijf ik van harte, maar als een
prioritering – zelfs een beperking van taken – moet voortvloeien uit een onjuiste begroting, wordt het naar mijn mening een zaak tussen de minister en de Kamerleden.

Een prioritering van onderzoek is immers absoluut iets
anders dan het geheel niet betreden van werkterreinen!

Ook vond ik de woorden 'dat in 2005 wordt bezien of
daadwerkelijk € 1 miljoen extra benodigd is', hoogst merkwaardig geformuleerd, omdat ik zowel de minister als de

leden van de Tweede Kamer had geïnformeerd dat dit bedrag nodig was om de twee werkterreinen te kunnen betreden.

Nu, met vele moties en amendementen (maar liefst vijf nota's van wijzigingen waren aan dit wetsvoorstel gewijd, en ook de Raad van State is twee keer ingeschakeld geweest) is dit wetsvoorstel uiteindelijk, gelukkig aanzienlijk verbeterd uit de strijd tevoorschijn gekomen. Als je zo terugkijkt in de geschiedenis van het onafhankelijk onderzoek, dan kun je gerust stellen dat het onafhankelijk onderzoek zijn ontstaan volledig te danken heeft aan een enorme inzet van het parlement en met name de Tweede Kamer. Zonder hun moties en kritische debatten was het er nooit gekomen. Bij de totstandkoming van de Raad voor de Transportveiligheid stond de Kamer indertijd één geïntegreerde raad voor ogen die er door de bestaande verkokering en versnippering in de veiligheidssectoren uiteindelijk niet is gekomen. Merkwaardig genoeg had het departement ten slotte wel gekozen voor één geïntegreerde raad, maar het advies van de Raad van State zorgde helaas voor de komst van een onmogelijke structuur.

De Tweede Kamer was eveneens de hoofdrolspeler om de Defensieongevallenraad niet als een afzonderlijk college in het leven te roepen en zich uit te spreken voor een integratie tussen de bestaande raden. En ten slotte heeft de Tweede Kamer zich absoluut enorm ingezet voor de komst van één geïntegreerde Onderzoeksraad voor Veiligheid.

Er is een fundamenteel debat gevoerd over het begrip onafhankelijkheid – waarover in de praktijk, zoals duidelijk bleek, 'zeer verschillend' kan worden gedacht. Zo verschillend dat de minister zelfs bereid was om het wetsvoorstel hiervoor in te trekken!

De heer Van der Staaij van de SGP heeft absoluut gezorgd voor een unicum om de Raad van State opnieuw om een tussentijds advies te vragen.

Kortom, mijn oprechte dank gaat uit naar de leden van

het parlement bij wie ik zo veelvuldig mijn opwachting heb mogen maken. Het begon in mijn strijd voor de Raad voor de Verkeersveiligheid en later voor de komst van het 'echte' onafhankelijke onderzoek in ons land. Als je zo terugblikt, zou het zelfs een ernstig punt van overweging kunnen zijn om het onafhankelijk onderzoek niet aan een ministerie te koppelen, maar aan het parlement. Want zonder parlement hadden wij in Nederland het onafhankelijk onderzoek niet gekend.

Als slot van dit hoofdstuk voeg ik hier nog toe de toespraak van minister-president mr. dr. J. P. Balkenende die hij uitsprak bij de installatie van de Onderzoeksraad voor Veiligheid op 7 februari 2005 in Den Haag. Opvallend, leerzaam en sportief vind ik zelf dat bij zo'n installatie met geen woord meer wordt gerept over het 'woelige' verleden dat aan de totstandkoming van de Raad ten grondslag heeft gelegen. Een verleden overigens dat genoegzaam aanleiding had kunnen geven om te komen tot een benoeming van een andere voorzitter, van wie je tevens denkt er in de praktijk minder last van te zullen ondervinden.

Majesteit, Koninklijke Hoogheid,
meneer Van Vollenhoven, dames en heren,

'Veiligheid bereiken wij niet door muren te bouwen, maar door deuren te openen.' Dat zijn woorden van de voormalige president van Finland, Kekkonen. Hij doelde daarmee op veiligheid in staatsrechtelijke zin. Maar volgens mij gaat zijn uitspraak óók op voor de veiligheid die vandaag centraal staat: het voorkomen van rampen en ongevallen en het beheersen van de gevolgen daarvan. Met de installatie van de Onderzoeksraad voor Veiligheid worden veel deuren wijd opengezet.
– De deuren tussen maatschappelijke sectoren: geen aparte raden en commissies meer voor transport, defensie

en andere beleidsterreinen, maar één gezaghebbende Onderzoeksraad.

– De deuren tussen kennisgebieden; want de raad gaat kijken naar alle relevante aspecten van voorvallen. De aanleiding. De achterliggende oorzaken. De rampenbestrijding. De nazorg. De technische, de organisatorische en de menselijke kant van de zaak. Zodat we het hele plaatje compleet hebben.

– En tot slot, de deuren tussen landen. Want u gaat nog nauwer samenwerken met andere landen, wanneer veiligheidsrisico's over grenzen heen gaan.

Rampen en ongelukken kunnen enorm veel verdriet en ellende veroorzaken. We herinneren ons allemaal nog het ongeluk met de Hercules, de nieuwjaarsbrand in Volendam en de vuurwerkramp in Enschede. Maar ook kleinere incidenten, waarbij geen slachtoffers vallen, kunnen gepaard gaan met veel schrik en angst.

Steeds weer komen dan dezelfde vragen op: 'Hoe heeft dit kunnen gebeuren?' En: 'Wat kunnen we doen om dit in de toekomst te voorkomen?' Het zijn die vragen die voor de Onderzoeksraad centraal staan.

U gaat als zelfstandig bestuursorgaan onderzoek doen naar rampen, ongevallen en incidenten. Onafhankelijk, kritisch en grondig. Op basis van dat onderzoek komt u met duidelijke aanbevelingen, aan de hand waarvan overheden, bedrijven en organisaties de veiligheid kunnen verbeteren.

Waar ligt de grens tussen veilig en onveilig? Veiligheid kan hem zitten in een schroefje. In een dijklichaam. In het materiaal van de feestversiering. In een rampenplan. In een waarschuwingssysteem. In alertheid van mensen.

Er spelen zoveel facetten mee. Dat geeft aan hoe belangrijk grondig onderzoek is wanneer er iets is misgegaan. Zonder dat we de feiten op tafel hebben, kunnen we ook niets leren. Uw onderzoek en aanbevelingen zijn dus van de grootste waarde.

Honderd procent veilig bestaat niet. Maar we kunnen het samen wel steeds veiliger maken, als we ons er voluit voor inzetten en leren van geconstateerde tekortkomingen. Die inzet om er hard tegenaan te gaan is bij de leden van de Onderzoeksraad volop aanwezig, en zeker bij de voorzitter, die een grote gedrevenheid heeft en daar ook duidelijk voor uitkomt. Dat kunnen de aanwezige vertegenwoordigers van de betrokken ministers beamen.

Meneer Van Vollenhoven, we kennen u al een groot aantal jaren als voorvechter van grondig, onafhankelijk onderzoek naar veiligheidsvragen. Het is zeker ook aan u te danken dat hier vandaag een Onderzoeksraad voor Veiligheid wordt geïnstalleerd.

U hebt daarvoor met hart en ziel geijverd. Na alle resultaten die u op het terrein van veiligheidsonderzoek al hebt geboekt, moet dit voor u toch een bijzonder moment zijn. Een moment om stil te staan bij deze mijlpaal, maar ook om vooruit te kijken naar de toekomst.

We hopen natuurlijk allemaal op een toekomst met zo min mogelijk ongevallen. Maar mochten die ongevallen zich toch voordoen, dan is uw inzet hard nodig. Met de feiten die u naar boven haalt, met uw analyses en aanbevelingen, kunnen we Nederland veiliger maken. Ik wens u, de andere leden en alle medewerkers van de Raad heel veel succes en – om in veiligheidstermen te blijven – 'een behouden vaart'.

Dank u wel.

DEEL II
DE LANGE ADEM

Waarheidsvinding

Was die strijd voor het onafhankelijk onderzoek de moeite waard en waarom moest die zo lang duren?

Als er ernstige gebeurtenissen in onze maatschappij plaatsvinden, wordt er tegenwoordig door de samenleving gelukkig allereerst de schijnwerper gericht op de slachtoffers van deze gebeurtenis. Daarna volgen meestal twee dezelfde vragen. Enerzijds vraagt men zich af: 'Wie zijn hier voor verantwoordelijk of schuldig?' En anderzijds: 'Wat is er precies gebeurd, wat heeft zich daar afgespeeld?'

Weinigen hebben zich gerealiseerd, en realiseren zich eigenlijk nog steeds niet, dat de bestaande overheidsrechtspraak niet geëquipeerd is om die tweede vraag te beantwoorden en om tot een diepgaand en betrouwbaar onderzoek te komen naar de oorzaken en gevolgen van een ramp of een ongeval.

De bestaande overheidsrechtspraak kent namelijk zijn 'beperkingen' als het gaat om het achterhalen van wat er precies is gebeurd.

Zo heeft de civiele rechter immers een sterk lijdelijke positie en is de rechter geheel afhankelijk van de vordering van de eiser, van wat de partijen de rechter voorleggen. Om deze reden is de civiele rechter per definitie geen betrouwbare instantie om vast te stellen wat er exact is gebeurd.

In het strafrechtelijk onderzoek wil men wel veel preciezer weten wat er zich heeft afgespeeld, voordat een verdachte wordt veroordeeld. Maar het is in het strafrecht niet de taak van de rechter om vast te stellen wat er feitelijk is gebeurd. De opdracht van de strafrechter is uiteindelijk beperkt tot: 'Kan worden bewezen wat door de officier van justitie ten laste is gelegd?' In tegenstelling tot de politie of de officier van justitie gaat de rechter niet zoeken naar wat er precies is voorgevallen. Daarbij is van essentieel belang dat een mogelijke verdachte in het strafrecht mag zwijgen. Niemand behoeft zelf bij te dragen aan zijn of haar veroordeling.

Vervolgens kennen wij de toezichthouders van de overheid, de overheidsinspecties, die belast zijn met de bestuurlijke handhaving, met het toezicht op de vigerende wet- en regelgeving in een bepaalde sector. Ook zij willen bij een ernstige gebeurtenis, een gasexplosie, een treinongeval, medische fouten, een brand in een cellencomplex of in een chemiebedrijf, natuurlijk precies weten wat er zich heeft afgespeeld. Maar de bestaande overheidsinspecties kennen bij dergelijke onderzoeken ook hun beperkingen, die niet alleen worden veroorzaakt door de grenzen van hun sector. In het bijzonder worden zij bij dergelijke onderzoeken natuurlijk altijd geconfronteerd met hun eigen reilen en zeilen, hun eigen functioneren in het verleden. Zij zien zich gesteld voor de vraag waarom zij in het verleden bepaalde zaken niet eerder hebben gezien, niet voldoende hebben opgetreden of zelfs hebben gedoogd.

Kortom, het onafhankelijk onderzoek is absoluut het enige onderzoek, mits dat onderzoek wel voldoet aan bepaalde voorwaarden waar ik later nog op terugkom, dat zich ten doel stelt om precies te achterhalen wat zich heeft afgespeeld, met als enig oogmerk om uit het gebeurde lering te kunnen trekken.

Het onafhankelijk onderzoek houdt zich niet bezig met de beantwoording van de schuldvraag, dat blijft volledig het domein van het strafrechtelijk onderzoek. Het onafhankelijk onderzoek spreekt zich wel uit over verantwoordelijk-heden die al of niet genomen zijn, waardoor – zeker voor de buitenwereld – de scheidslijn tussen het strafrechtelijk en het onafhankelijk onderzoek dun kan zijn. De onderzoekers bij een onafhankelijk onderzoek doen ook geen aangifte van strafbare feiten, waarvan men bij een onafhankelijk onder-zoek kennis heeft gekregen. Als een voorval echter nauwe-lijks structurele veiligheidstekorten kent, of als men van oordeel is dat geen lessen kunnen worden getrokken (iets dat in de praktijk overigens bijna nooit voorkomt), en het accent voornamelijk ligt op de strafrechtelijke kant, dan kan het onafhankelijk onderzoek te allen tijde nog worden afge-broken. In ons land moeten strafbare feiten, zoals moord, doodslag, gijzeling of terroristische activiteiten, worden ge-meld aan het Openbaar Ministerie.

Een mooi en duidelijk voorbeeld van het verschil tussen wat er precies gebeurd is en de beantwoording van de schuldvraag, vind ik zelf de twee onderzoeken naar het treinongeval in Mook op 31 mei 1995. Zeer verkort weerge-geven komt het voorval op het volgende neer. Tijdens onder-houdswerkzaamheden aan wissels rijdt een trein door een wissel die in een verkeerde stand is achtergelaten, waardoor een aantal baanwerkers om het leven komt. Omdat de wissel niet 'geklemd' was volgens de voorschriften, werd de baan-opzichter 'dood door schuld' ten laste gelegd. Uit het onaf-hankelijk onderzoek kwam naar voren dat er allang een groot verschil bestond tussen de theoretische voorschriften en de procedures in de praktijk. In de praktijk werd regelma-tig van de theoretische voorschriften afgeweken om meer-dere wissels op één dag te kunnen onderhouden.

De praktijkmensen gaven aan dat het werken volgens de letter van de wet, tenzij men over atletische kwaliteiten beschikte, tot vertragingen bij de werkzaamheden en de treinenloop zou leiden, wat in de spoorwegorganisatie als uiterst ongewenst werd ervaren. Deze gang van zaken bleek binnen de spoorwegorganisatie geheel bekend te zijn, maar een en ander werd door de mensen niet als onveilig ervaren.

Uit dit onafhankelijk onderzoek komt heel duidelijk naar voren dat hier sprake is van een structureel veiligheidstekort. Men accepteert in de organisatie niet alleen het voortbestaan van een verschil tussen theoretische voorschriften en de gehanteerde procedures in de praktijk, maar ook konden naar het oordeel van de Spoorwegongevallenraad toch ook grote vraagtekens worden geplaatst bij de wijze waarop het toezicht op de veiligheid was georganiseerd. Door dit onderzoek heeft het Openbaar Ministerie indertijd afgezien van een strafzaak tegen de baanopzichter.

De oorsprong van het willen weten van wat er precies gebeurd is, komt voort uit de wereld van de luchtvaart. Tijdens en na de Tweede Wereldoorlog vonden in de luchtvaart stormachtige ontwikkelingen plaats, die gepaard gingen met veel ernstige ongevallen. Vanzelfsprekend wilden vliegtuigbouwers, luchtvaartmaatschappijen en pilotenorganisaties zeer precies weten wat er dan was gebeurd om er lering uit te kunnen trekken. Zij waren, gelet op hun ervaringen met luchtvaartongevallen, de mening toegedaan dat het strafrechtelijk onderzoek om meerdere redenen niet het geëigende instrument was om dit te bewerkstelligen.

Vandaar dat reeds in 1953 een annex 13 aan de 'grondwet' van de luchtvaart, het Verdrag van Chicago, werd toegevoegd. Het Verdrag van Chicago is het belangrijkste internationale wettelijke kader voor de burgerluchtvaart en annex 13 bevat regels voor het doen van onderzoek naar luchtvaartongevallen en -incidenten. Met deze annex 13 wilde men internationaal bereiken dat, naast een eventueel strafrechtelijk onderzoek, alle lidstaten 'verplicht' een diepgaand veiligheidsonderzoek naar een voorval in hun land zouden instellen. Dit veiligheidsonderzoek kon je toen allerminst een onafhankelijk onderzoek noemen. Dat het toen wel zo werd aangeduid, moet je meer toeschrijven aan het gegeven dat dit onderzoek 'naast', dat wil zeggen 'onafhankelijk' van het strafrechtelijk onderzoek diende te worden uitgevoerd.

De internationale regels die voor luchtvaartongevallen- en -incidentenonderzoek gelden, hebben inmiddels ook in de Europese Unie hun vertaling gekregen en worden veelvuldig als uitgangspunt gebruikt voor ongevallen- en incidentenonderzoek op andere terreinen dan luchtvaart.

Waarom ik die strijd voor het onafhankelijk onderzoek altijd zo de moeite waard heb gevonden, ondanks de vele hindernissen die hiervoor genomen moesten worden, is de 'waarheidsvinding'. Wij leven immers in een uitermate complexe maatschappij, waarbij tegenstrijdige belangen een belangrijke rol spelen. Die vele tegenstrijdigheden zijn de reden waarom betrokkenen er zelfs helemaal geen baat bij hebben dat de waarheid aan het licht wordt gebracht. Dit betekent in de praktijk dat er een sterke neiging bestaat om zaken te ontkennen, de feiten te verdoezelen, zelfs onder het beroemde vloerkleed te schuiven, of de gang van zaken behoorlijk af te zwakken. En als je dan leeft of zegt te leven in een democratische maatschappij, waarvan toch een kenmerkende eigenschap is dat men open en transparant over allerlei zaken wil kunnen beslissen, dan kan je naar mijn mening alleen open en transparante beslissingen nemen als je op een bepaald moment weet wat er zich precies heeft afgespeeld. Door de onafhankelijke onderzoeken ben ik meer en meer overtuigd geraakt van de noodzaak dat niet alleen 'de waarheid', het weten van wat er gebeurd is, thuishoort in een democratische samenleving, maar dat de burgers daar ook een recht op hebben.

Die 'waarheid' moet je vanzelfsprekend wel tussen aanhalingstekens plaatsen, want wat is nu precies de waarheid? Ik zie de waarheid als iets waar de meerderheid zich op zeker moment achter schaart. Hierbij denk ik aan een verzameling gegevens die door een 'onbesproken' instantie zijn verzameld en worden gepresenteerd. Hierbij vind ik het wel van groot belang dat het commentaar van betrokkenen niet alleen wordt gevraagd, maar ook wordt verwerkt en weergegeven. Natuurlijk kunnen zich later nieuwe onderzoekstechnieken voordoen, zoals nieuwe DNA-technieken of verbeterde sterrenkijkers voor onze verkenningen in het heelal, waarbij de waarheid van toen in een ander daglicht kan komen te staan.

Ik hecht daarom veel waarde aan die tijdelijke waarheid, mits zij op onbesproken wijze tot stand is gekomen.

Een onafhankelijk onderzoek kan ook van grote betekenis zijn om een einde te maken aan de maatschappelijke verontrusting die een gebeurtenis teweeg heeft gebracht. Ook voor de slachtoffers en/of hun nabestaanden is een goed onafhankelijk onderzoek van groot belang. Zij krijgen weliswaar met zo'n onderzoek hun geliefden niet terug, maar zij hebben mij altijd gezegd 'dat blijvende onzekerheden het verdriet doen aanwakkeren. Je kunt de gebeurtenis geen plaats geven.' Een kwalitatief goed rapport, dat niet ter discussie staat, helpt hen zeer met de verwerking van hun leed. En zoiets verschrikkelijks behoeft toch niet nog eens een ander te overkomen?

Een voorbeeld van een totaal verkeerd verlopen onderzoek en de tragedie die dat teweegbrengt bij de slachtoffers, de nabestaanden en de hulpverleners vind ik zelf het onderzoek naar de al eerder genoemde Herculesramp op 15 juli 1996. Toen verongelukte een Hercules C-130 van de Belgische Luchtmacht bij een poging om te landen op de vliegbasis Eindhoven en raakte daarbij in brand.

In het vliegtuig bevonden zich 37 leden van het fanfarekorps van de Nederlandse Koninklijke Luchtmacht en vier bemanningsleden van de Belgische Luchtmacht. Bij deze ernstige ramp vonden 34 inzittenden de dood en raakten zeven inzittenden zwaargewond.

In die tijd was de discussie over het onafhankelijk onderzoek in ons land nog in volle gang, met als gevolg dat over deze ramp uiteindelijk 27 onderzoeksrapporten en rapportages zijn verschenen (op verzoek van het Presidium van de Tweede Kamer op 30 oktober 2001 heeft de Raad van Transportveiligheid in december 2002 het 27ste onderzoeksrapport over deze ramp uitgebracht). En ondanks alle rapporten bleven helaas nog veel vragen onbeantwoord. De nabestaanden hadden vanwege die vele onbeantwoorde vragen nog aangedrongen op het instellen van een parlementaire enquête, maar die is er nooit gekomen.

Hans Matheeuwsen, hoofdredacteur van het tijdschrift *FRITS* en ooit redactiechef bij het *Eindhovens Dagblad*, schreef in 2009 het boek *Vergeten ramp*. Het was een reconstructie van de crash en hij droeg het op aan de slachtoffers en hulpverleners. Het is een onthullend boek geworden en de reconstructie van Matheeuwsen draagt zeker bij aan het voorkomen van dergelijke tragedies in de toekomst.

Om al deze redenen vind ik het meer dan de moeite waard om in de toekomst na te gaan en te onderzoeken of het 'recht op de waarheid' eventueel beschouwd kan worden als een 'mensenrecht'.

Natuurlijk was het ingewikkeld en liet het zich soms moeilijk uitleggen hoe je in hemelsnaam 22 jaar kan strijden voor onafhankelijke onderzoeken, terwijl die in ons land toch allang een begrip waren. Heel regelmatig werden immers onafhankelijke onderzoeken ingesteld naar allerlei ernstige gebeurtenissen, waarover ook geen enkele discussie in de maatschappij bestond. Men juichte zo'n onderzoek alleen maar toe en vond het van een minister of van een organisatie zelfs heel wijs en een moedige beslissing om zo'n onderzoek te doen. In de transportsectoren bestonden zelfs vaste en wettelijke raden voor het instellen van dergelijke onderzoeken. Kortom... 'waar heb je het over?'

Inderdaad was het instellen van een onafhankelijk onderzoek beslist geen onbekend fenomeen. Het enige wat je je echter wel kon afvragen: 'Hoe onafhankelijk was zo'n onderzoek nu eigenlijk in de praktijk?'

Omdat het onderwerp veiligheid al vanaf de industrialisatie werd gezien als een taak van de overheid, werden overheid en veiligheid door de samenleving min of meer beschouwd als synonieme begrippen. Dit betekende dat als naar aanleiding van een ernstige gebeurtenis door een minister een onafhankelijk onderzoek werd ingesteld, de minister een onderzoekscommissie samenstelde die minstens door een onafhankelijke voorzitter werd voorgezeten. Maar het betekende ook dat het onderzoek zelf in de meeste gevallen werd uitgevoerd door overheidsinspecties. Want bij deze inspecties, deze toezichthouders, zaten immers de kennis, de ervaring en de bevoegdheden.

Daarbij vergat men gemakshalve dat de toezichthouders natuurlijk in het geheel niet onafhankelijk waren, omdat zij niet alleen betrokken waren bij het toezicht op de vigerende wet- en regelgeving, maar zeker in het verleden ook veelal betrokken waren bij de totstandkoming van deze regelgeving. Kortom, eerlijk gezegd keurde hier de slager in hoge mate zijn eigen vlees. Dit gegeven behoeft natuurlijk niet direct te betekenen dat het onderzoek een slecht onderzoek zou zijn. Het betekent alleen dat er absoluut geen garanties waren op een onafhankelijk oordeel, terwijl het wel een onafhankelijk onderzoek werd genoemd. Om deze reden konden in het verleden dan ook vele en grote vraagtekens worden geplaatst achter dat woord 'onafhankelijkheid'.

Deze gang van zaken gold eveneens voor de vaste en wettelijk ingestelde onderzoeksraden in de transportsectoren. Ook voor deze raden werden de onderzoeken door de inspecties zelf uitgevoerd. Ik herinner mij nog de spanningen die dat gaf met de onderzoeken bij de Spoorwegongevallenraad. De onderzoeken op het spoor werden van oudsher uitgevoerd door de Nederlandse Spoorwegen. Deze onderzoeken werden begeleid door de toezichthouder van de overheid, het Spoorwegtoezicht. Het Spoorwegtoezicht controleerde de kwaliteit van de onderzoeken en informeerde hierover de minister, en adviseerde over de te nemen maatregelen.

Bij zéér ernstige ongevallen kon de Spoorwegongevallenraad ook besluiten om een onderzoek naar het ongeval in te stellen. Ook bij een onderzoek van de Spoorwegongevallenraad werd het onderzoek uitgevoerd door de Nederlandse Spoorwegen onder auspiciën van het Spoorwegtoezicht, maar het Spoorwegtoezicht was in het verleden tevens belast met het secretariaat van de Spoorwegongevallenraad! Daardoor kon het gebeuren dat het Spoorwegtoezicht aanbevelingen had gedaan aan de minister, waarover de Spoorwegongevallenraad een andere mening was toegedaan.

Kortom, in het rapport van de Spoorwegongevallenraad moest het Spoorwegtoezicht terugkomen op de eigen, eerder gedane aanbevelingen en dat lag vanzelfsprekend heel gevoelig.

Die lange duur, die 22-jarige strijd, was nodig om de onafhankelijke onderzoeken in werkelijkheid echt onafhankelijk te maken. Daarvoor moest je niet alleen kunnen beschikken over een onafhankelijke en een afzonderlijke onderzoeksorganisatie die op generlei wijze betrokken was of was geweest bij de te onderzoeken gebeurtenissen, maar ook diende deze onafhankelijke onderzoeksorganisatie wettelijk te worden verankerd. In de wetgeving moesten vele onderwerpen worden vastgelegd, zoals de bevoegdheden van de onderzoekers, de scheiding met de bestaande overheidsrechtspraak, en bovendien moest duidelijk worden aangegeven, waaruit die onafhankelijkheid bestond, tot wie de aanbevelingen moesten worden gericht, de verplichting om hierop te reageren, de verplichte inzage van de conceptrapporten aan de betrokkenen etc. etc.

En als je het dan uiteindelijk eens bent geworden over de

komst van zo'n onafhankelijke en afzonderlijke onderzoeksorganisatie, verankerd in de wet, dan moet je de vraag beantwoorden: Hoe organiseer je deze onderzoeken in de praktijk? Organiseer je die per sector, verkokerd, zoals dat tot dat
moment pleegde te gebeuren? Zo kenden wij immers de
Raad voor de Luchtvaart, de Raad voor de Scheepvaart, de
Spoorwegongevallenraad etc. Of bundel je de krachten en
worden alle onderzoeken ondergebracht in één geïntegreerde, multimodale onderzoeksraad?

Deze drie onderwerpen – een afzonderlijke onderzoeksorganisatie, de wettelijke verankering en de organisatie-
structuur van het onafhankelijk onderzoek – waren de voor-
naamste redenen voor die lange incubatietijd. Maar het
kostte eveneens tijd om de samenleving ervan te overtuigen
dat de bestaande overheidsrechtspraak niet het geëigende instrument was om precies te achterhalen wat er zich had afgespeeld. Sterker nog: vanuit de overheid werd gesteld dat de
waarheidsvinding geenszins kon worden beschouwd als het
uitsluitende domein van het onafhankelijk onderzoek!

Kortom, er waren redenen genoeg om de komst van 'echte' onafhankelijke onderzoeken ietwat voor je uit te schuiven.

In principe voelden de ministers en met name hun departementen er aanvankelijk niets voor een afzonderlijke onderzoeksorganisatie in het leven te roepen. Dat werd gezien
als een motie van wantrouwen ten opzichte van het functioneren van hun eigen ambtenaren, hun eigen inspecties. Zij
deden toch prima onderzoeken? En wat ook gevoelig lag,
was het feit dat de ministers met de komst van een afzonderlijke onderzoeksorganisatie hun zicht, hun invloed op het
onderzoek zouden gaan verliezen.

Ook werd de noodzaak er niet van ingezien om deze onderzoeksorganisatie wettelijk te verankeren. In het verleden
gingen die onderzoeken toch ook prima zonder wetgeving?
Inderdaad was natuurlijk in het verleden afzonderlijke wet-

geving minder noodzakelijk, omdat de inspecties over hun eigen wettelijke bevoegdheden beschikten.

Met als gevolg dat de bevoegdheden van de onderzoekers niet afzonderlijk en wettelijk behoefden te worden vastgelegd. De wettelijke verankering van de indertijd bestaande onderzoeksraden was dan ook meer toegespitst op hun tuchtrechtelijke bevoegdheden of in het algemeen op hun bestaansrecht, maar niet op hun onderzoeksmethoden en bevoegdheden.

Ten slotte was het onderwerp veiligheid zowel binnen als buiten de departementen zo'n sterk verkokerd onderwerp en men dacht zo uitsluitend in sectoren, dat absoluut niemand zich geroepen voelde om aan het vraagstuk van mogelijke integratie zijn vingers te branden. Je werd immers voor gek verklaard. 'Wat heeft luchtvaart nu met buisleidingen of wegverkeer te maken? Denk in hemelsnaam logisch na, dit is toch absolute onzin, wat die Van Vollenhoven aan het beweren is!'

Ik herinner mij nog levendig mijn kennismakingsbezoek aan de Raad voor de Luchtvaart. De minister, mevrouw Maij-Weggen, overwoog namelijk om mij daar als voorzitter te benoemen. Nu, het college zat vol afschuw naar mij te kijken, want een man met dergelijke integratiegedachten, die wilde men niet graag in hun midden zien.

Zoals reeds eerder opgemerkt, heeft het eerste wereldcongres 'On Safety of Transportation, Delft University, 26-27 November 1992' indertijd gezorgd voor een verandering van denken over de integratie van de veiligheid bij de vervoerssystemen. Dit gold niet alleen voor veel bezoekers, maar ook voor minister Maij-Weggen en voor veel leden van de Tweede Kamer. De ontmoetingen en de gesprekken met de board members van zowel de Amerikaanse als de Canadese Transportation Safety Boards hebben daartoe enorm bijgedragen.

Toch valt het in hoge mate te betwijfelen of de motie in november 1993, voor de instelling van één Raad voor de Transportveiligheid, en de motie in november 2000, voor de instelling van één Onderzoeksraad voor Veiligheid, waren ingediend als ons land niet was geconfronteerd met die twee ernstige rampen, de Bijlmerramp in oktober 1992 en de Vuurwerkramp in Enschede in mei 2000.

Eerlijk gezegd denk ik, terugblikkend in de geschiedenis van het onafhankelijk onderzoek, dat men zonder deze rampen nooit zou hebben durven besluiten om te komen met een motie tot de instelling van één onderzoeksraad. Men had, denk ik, dan toch eerder zijn heil gezocht in de instelling van meerdere sectorale onderzoeksraden.

Toch vind ik de levensles van deze lange en buitengewoon moeilijke strijd dat men altijd moet blijven denken aan de woorden 'de aanhouder wint'. Natuurlijk was in mijn geval de ministeriële verantwoordelijkheid een complicerende factor – ik streefde iets na waar veel ministers en hun ministeries niets voor voelden. Daarom werd dan ook regelmatig gezegd: 'Hou hier toch mee op, je maakt het leven voor jezelf en veel anderen onmogelijk!'

Veel leden van de Tweede Kamer hebben zich enorm ingezet om ervoor te zorgen dat ons land nu beschikt over één onderzoeksraad en een wetgeving die voor vele andere landen tot voorbeeld kan zijn. Ook vind ik het bij een terugblik van belang op te merken dat ik deze zaak gelukkig lang heb kunnen dienen. Niet alleen als voorzitter van de Raad voor de Verkeersveiligheid en van de Spoorwegongevallenraad, maar ook als voorzitter van het College Bevordering Veiligheidseffectstudies en van de Raad voor de Transportveiligheid.

Mijn ervaring met de aanpak van veel vraagstukken is, dat die gemakkelijk kan mislukken of aanzienlijk kan worden vertraagd door de zogenoemde job rotation. Hiermee kan namelijk niet alleen het geheugen komen te vervallen, maar ook de 'motorfunctie' kan worden opgeheven. Zowel bij het onderwerp slachtofferhulp als bij het onderwerp onafhankelijk onderzoek heb ik lang kunnen beschikken over gemotiveerde organisaties, die bereid waren om zich te blijven inzetten voor de motorfunctie en voor het voeren van een 'frappez toujours'-politiek. Als je de uitdrukking 'de aanhouder wint' ooit wilt waarmaken, dan is de beschikking over een gemotiveerde organisatie met uithoudingsvermogen naar mijn volle overtuiging een absolute vereiste.

Vanzelfsprekend waardeer ik in hoge mate dat deze 'lange strijd' uiteindelijk goed is afgelopen, want ik realiseer mij ten volle dat het leven ook heel anders had kunnen lopen. Zonder rampen waren er immers geen moties geweest en geen onderzoeksraden, en ook geen hoogleraarschap, en dan was ik wellicht een aardige man die helaas niet geheel of geheel niet uit de verf is gekomen.

DEEL III
ERVARINGEN MET
ERNSTIGE VOORVALLEN

Wat is nu eigenlijk veiligheid?

Natuurlijk willen veel mensen dat er na een ernstige gebeurtenis een onafhankelijk onderzoek wordt ingesteld en dat geldt des te meer voor degenen die er bij betrokken zijn geweest. Hierbij denk ik vooral aan de slachtoffers en nabestaanden. Maar zoals reeds eerder opgemerkt: niet iedereen zit op zo'n onderzoek te wachten. De organisaties bijvoorbeeld die bij de gebeurtenis betrokken waren.

Een prachtig voorbeeld hiervan vond ik het gegons uit de 'onderwereld', zoals de wereld van de buisleidingen zichzelf noemt. Toen deze sector werd toegevoegd aan het werkterrein van de Raad voor de Transportveiligheid verspreidde zich al snel het gerucht dat 'een gasexplosie een ongeval is, maar dat het een ramp is als mijnheer Van Vollenhoven en zijn Raad voorbijkomen'.

Ook de medische wereld liet zich in het begin negatief uit over de komst van de Onderzoeksraad voor Veiligheid. In hun lijfblad *Medisch Contact* stond indertijd geschreven dat de medische wereld niet zat te wachten 'op de zich profilerende Professor Mr. Pieter van Vollenhoven met zijn Onderzoeksraad'.

Gelukkig veranderden dergelijke geluiden na verloop van tijd. Enkele jaren later al werd ik bijvoorbeeld hartelijk als spreker uitgenodigd op het congres van de buisleidingen met de toepasselijke titel 'Welkom in de onderwereld' om de opgedane ervaringen nog eens te delen.

Na een bepaald ernstig voorval vinden veelal wisselingen

van de wacht plaats, waardoor er automatisch meer ruimte ontstaat voor een nader debat. Ook gaan de betrokkenen de waarde van een onafhankelijk onderzoek steeds meer inzien, omdat het onderzoek niet gericht blijkt op de beantwoording van de schuldvraag, maar zich volledig concentreert op het achterhalen van wat er gebeurd is om er lering uit te trekken.

Ook de medische wereld ging zich later veel positiever opstellen ten opzichte van onafhankelijke onderzoeken in het algemeen. Ons eerste onderzoek – naar de hoge mortaliteit bij de hartchirurgie in het Universitair Medisch Centrum St Radboud in Nijmegen – lag nog uitermate gevoelig. Maar later heeft hierover een voortreffelijk evaluatiegesprek plaatsgevonden met de Raad van Bestuur van het UMC St Radboud, het Bestuur Stafconvent en de Onderzoeksraad. Zelfs ontving ik uit deze wereld nog het verzoek of zij niet over een eigen onafhankelijke onderzoeksraad zouden kunnen beschikken. Natuurlijk kun je dit verzoek ook anders uitleggen, namelijk dat men zich helemaal niet kon verenigen met de kwaliteit van onze onderzoeken, maar zo bedoelden de schrijvers het gelukkig niet.

Men ging de waarde van het onafhankelijk onderzoek steeds meer inzien. Men realiseerde zich dat als je de kwaliteit van bijvoorbeeld het onderwerp patiëntveiligheid in de toekomst verder wilt verbeteren, je dat alleen voor elkaar kunt krijgen als je volledig vrijuit hierover kunt spreken zonder plotseling geconfronteerd te worden met de schuldvraag. Dit laatste kan namelijk zomaar gebeuren in gesprekken met de Inspectie voor de Gezondheidszorg (IGZ). Want niet alleen de IGZ maar vele inspecties in ons land kunnen ook als een verlengstuk voor het Openbaar Ministerie optreden als een strafrechtelijk onderzoek wordt ingesteld. Dan ontstaat ineens het spanningsveld tussen die beide onderzoeken, namelijk dat je in het strafrecht mag zwijgen en juist bij het onafhankelijk onderzoek wilt garanderen dat de betrokkenen vrijuit kunnen spreken.

In wezen kon ik mij dus volledig verenigen met dit verzoek om meer onafhankelijke onderzoeken uit te voeren in de medische sector, alleen zag ik niet direct de noodzaak in om daarvoor een nieuwe raad op te richten. Het probleem is dat de huidige Onderzoeksraad zowel qua menskracht als financiën onvoldoende is uitgerust om zich actiever op te stellen ten aanzien van de medische wereld. De Onderzoeksraad kent namelijk vele internationaal verplichte onderzoeken in de transportsectoren en nog enkele andere sectoren, waardoor er onvoldoende capaciteit overblijft voor de andere sectoren, zoals de gezondheidszorg van mens en dier.

In het verleden is bij de totstandkoming van de Onderzoeksraad nooit een grondige studie verricht naar hoeveel voorvallen c.q. misstanden de Raad in deze sector een onderzoek zou moeten instellen. Mijn voorkeur gaat ernaar uit om die studie alsnog te doen en met een omschrijving te komen (zoals dat bij de transportsectoren het geval is) welke voorvallen in de gezondheidszorg de Raad verplicht zou moeten onderzoeken. Deze verplichting kan via een motie of een kleine wetswijziging heel eenvoudig worden gerealiseerd en ik acht dit voor de verbetering van de patiëntveiligheid zelfs van groot belang.

Bij al mijn ervaringen met de onafhankelijke onderzoeken vind ik het opvallend om bijna altijd met twee structurele veiligheidsproblemen geconfronteerd te worden. De enorme spanning tussen de onderwerpen veiligheid en economie enerzijds en de onduidelijkheid over de eigen verantwoordelijkheid voor veiligheid bij de onderzochte ondernemingen en organisaties anderzijds.

Allereerst: wat is nu eigenlijk veiligheid?

Veiligheid heb ik altijd beschouwd als een afspraak die wij maken over welke risico's wij met betrekking tot een bepaald onderwerp moeten of willen beheersen. Veiligheid is risicomanagement! Bij die discussies over de risico-inventarisatie vallen twee hoofdstukken te onderscheiden: welke risico's 'moeten' wij beheersen en welke risico's 'willen' wij beheersen? Bij het moeten beheersen denk ik aan verbindende voorschriften, aan regels die voortvloeien uit de vigerende wet- en regelgeving. Bij het 'willen' beheersen denk ik allereerst aan de niet-verbindende voorschriften; dat zijn de normen en richtlijnen van een onderneming, een organisatie of van de sector zelf.

Maar bij het 'willen' beheersen, denk ik ook aan het gebruiken van je gezonde verstand. Niet alle risico's zijn immers aan papier toe te vertrouwen. Voortdurend word je geconfronteerd met (ernstige) gebeurtenissen in je eigen organisatie, in de sector of zelfs daarbuiten, die voor je eigen veiligheidsbeleid van belang kunnen zijn. Kortom, bij het beheersen van risico's moet je voortdurend de vinger aan de pols blijven houden en bij het vernemen van interne en externe gebeurtenissen bezien of je misschien je eigen veiligheidsbeleid, je veiligheidsmanagement c.q. je risicomanagement moet aanpassen.

Zo zullen, als gezegd, alle bestaande kerncentrales zeker op de voet hebben gevolgd wat er zich in 2011 in Japan heeft afgespeeld en zich beraden of zij hun veiligheidsbeleid moeten aanscherpen. Datzelfde geldt vanzelfsprekend voor de oliemaatschappijen die in de oceanen op grote diepten naar olie boren. Ook zij zullen zich na de verschrikkelijke gebeurtenis in de Golf van Mexico in 2010 afvragen of hun dit ook had kunnen overkomen.

Over de risico's die je moet beheersen, die voortvloeien uit de vigerende wet- en regelgeving, daarover bestaan in het algemeen weinig discussies. Iedereen beseft en weet dat hij of zij geacht wordt om zich aan de wet te houden. Of men zich aan de wet houdt, dat is natuurlijk een geheel andere vraag. De ervaring leert dat als het toezicht op de wetgeving niet frequent is, de menselijke neiging bestaat om er zich 'minder' aan te houden. Helaas geldt dit laatste des te meer voor de normen en richtlijnen van de organisatie of van de sector zelf. Hier praten wij immers niet over wetgeving, maar over de niet-verbindende voorschriften, voorschriften die zich daardoor onttrekken aan het toezicht van de overheid, omdat het overheidstoezicht zich alleen richt op de vigerende wet- en regelgeving, de verbindende voorschriften.

Zo mocht ik regelmatig bij de onafhankelijke onderzoeken ervaren dat het onderwerp veiligheid zeer gemakkelijk het onderspit kan delven als het wordt afgewogen tegen andere belangen, met name economische. Zo was bijvoorbeeld bij de brand in het cellencomplex Schiphol-Oost, in strijd met de gebruiksvergunning, de teampost in de K-vleugel vanwege efficiëntieoverwegingen 's nachts opgeheven en de bewaking vervangen door camera's. Natuurlijk kan camerabewaking effectief zijn, maar de loopafstanden en de looptijden zijn natuurlijk altijd langer als er geen bewakers in de K-vleugel meer aanwezig zijn. Bij deze brand in het Detentie- en Uitzetcentrum Schiphol-Oost op 26 oktober 2005 kwamen elf gedetineerden om het leven en raakten vijftien personen ernstig gewond.

Opvallend was bij dit onderzoek dat de betrokken overheidsinstanties op diverse punten noch de geldende wet- en regelgeving inzake brandveiligheid hebben gevolgd, noch de informele regelgeving. Volgens het Bouwbesluit – een wettelijk voorschrift – mag een brandcompartiment maximaal 500 m² zijn en bij zo'n omvang moet het beschikken over twee vluchtdeuren die ieder leiden naar een ander brandcompartiment. Het Bouwbesluit geldt ook voor tijdelijke cellengebouwen.

De oppervlakte van het brandcompartiment in de K-vleugel bedroeg 850 m² en beschikte over slechts één vluchtdeur naar een ander brandcompartiment. De loopafstand naar een veilig gebied – van een celdeur naar een ander brandcompartiment – moet volgens het Bouwbesluit kleiner zijn dan 22,5 meter, terwijl in de K-vleugel een maximale loopafstand van meer dan 54 meter werd aangetroffen. Tevens moet – volgens de Bouwverordening – de gebruiker toetsen of conform de bouwvergunning is gebouwd. Een dergelijke toetsing had de gebruiker, Dienst Justitiële Inrichtingen (DJI), niet uitgevoerd, omdat DJI van de veronderstelling uitging dat van de Rijksgebouwendienst verwacht mag worden dat het cellencomplex bij de oplevering voldoet aan de bouwwetgeving.

Om deze reden werd bij de oplevering niet specifiek op brandveiligheid getoetst. Wij vonden dat van de gebruiker een veel kritischer houding op dit punt verwacht had mogen worden, en helemaal omdat het hier een cellencomplex betrof! Snelheid heeft een belangrijke rol gespeeld bij de realisatie van de uitbreiding van de vleugels J en K.

Zo had de DJI de geprefabriceerde celcontainers bijvoorbeeld al besteld nog voordat de Rijksgebouwendienst bij het project betrokken was. De Rijksgebouwendienst heeft later een afwijkend werkproces gevolgd bij de realisatie van deze twee vleugels om tegemoet te komen aan de tijdwinstwensen van de klant! Voor de realisatie van een uitbreiding van een gebouw met dergelijke vleugels is normaal sprake van een doorlooptijd van één tot enkele jaren. In dit geval werden echter de beide vleugels in enkele maanden opgeleverd.

De generale conclusie van de Onderzoeksraad was dan ook dat veiligheid, en in het bijzonder brandveiligheid, te weinig aandacht heeft gehad. Het zich niet houden aan de wet- en regelgeving, noch aan de normen en richtlijnen van de sector zelf, vonden wij een teleurstellende conclusie, aangezien het waarborgen van de veiligheid van burgers een onomstreden kerntaak van de overheid is. Ook de instanties die toezicht hadden moeten houden op de toepassing van de wet- en regelgeving hebben onvoldoende als correctiemechanisme gefunctioneerd.

Helaas behoort een dergelijke gang van zaken geenszins

tot de uitzonderingen. Op 5 januari 2011 werd de samenleving opgeschrikt door een felle brand bij het bedrijf Chemie-Pack te Moerdijk. Daar brak bij een pomp brand uit, die snel om zich heen greep. Kunststof containers smolten door de hitte, waardoor de inhoud verder vlam kon vatten. Deze brand bij een risicovol bedrijf zorgde voor veel onrust onder de bevolking en beheerste dagenlang het nieuws.

Uit het onafhankelijk onderzoek van februari 2012 bleek dat dit bedrijf niet alleen in strijd met de vergunning had gewerkt, maar zich evenmin had gehouden aan zijn eigen veiligheidsregels. De (verschillende) overheidstoezichthouders hadden in de afgelopen jaren wel een flink aantal overtredingen van de veiligheidsvoorschriften vastgesteld, maar dat vormde voor hen geen aanwijzing dat het bedrijf zijn risico's niet beheerste. Het had in ieder geval nooit geleid tot een stringentere handhaving. Ook was het hoogst merkwaardig en teleurstellend te moeten vernemen dat alle inspecties vooraf werden aangekondigd en dat er, als een inspectie voor het bedrijf slecht uitkwam, een nieuwe afspraak werd gemaakt!

Het zorgelijke van deze gang van zaken vond ik dat een en ander plaatsvond terwijl reeds in 1999 het 'Besluit risico's zware ongevallen' van kracht was geworden. Dit besluit is de Nederlandse uitwerking van EU-regels op het gebied van arbeidsveiligheid, omgevingsveiligheid en rampenbestrijding. Het beoogt samenhang te brengen in de regulering van alle relevante aspecten van veiligheid met betrekking tot risicovolle bedrijven. Vanwege dit (nieuwe) besluit had je in deze sector toch een nieuw elan mogen verwachten? Het betekende voor Chemie-Pack dat het een aantal maatregelen moest treffen, zoals onder meer de invoering van een veiligheidsmanagementsysteem. Het bedrijf moest nu vooraf de veiligheidsrisico's in kaart brengen en een aanpak ontwikkelen hoe deze konden worden beheerst en beperkt. In dit wettelijk stelsel stond de 'eigen verantwoordelijkheid' centraal.

Helaas geeft het onderzoeksrapport geen helder inzicht in waarom aan deze eigen verantwoordelijkheid zo weinig inhoud werd gegeven.

De Raad stelt wel dat naar hun oordeel de brand in Moerdijk de aanzet geeft tot het daadwerkelijk en met urgentie bevorderen van een andere ordening van toezicht en handhaving in deze sector. De Raad benadrukt dat zeker in het domein van de veiligheid 'in een sterk door politieke en economische krachten bepaalde omgeving' een toezicht aanwezig moet zijn dat voldoende deskundig en voldoende onafhankelijk is. De handhaving moet integer en professioneel worden uitgevoerd; dit laatste is niet alleen van belang voor de overheid, maar ook voor de ondernemingen.

Zelf vond ik het spijtig – het rapport is na mijn vertrek bij de Raad tot stand gekomen – dat het onderzoeksrapport niet expliciet vermeldde dat een integer en professioneel overheidstoezicht niet alleen van belang is voor de overheid en de ondernemingen, maar met name ook voor de samenleving in zijn totaliteit. De burgers zijn immers voor hun veiligheid steeds afhankelijker geworden van het veiligheidsbeleid van ondernemingen en organisaties. Zeker nu de laatste jaren zo enorm het accent is gelegd op de eigen verantwoordelijkheid. Dit onder het motto: 'Laat het aan de sector zelf over!' Dan zou je op dit gebied toch veel meer verwachten dan hier is aangetroffen!

Het onderwerp veiligheid en economie heeft eveneens een hoofdrol gespeeld in de voortslepende discussies over de invoering van een nieuw atb-systeem (een systeem van automatische treinbeïnvloeding). Het atb-systeem is een technisch vangnet, dat beoogt te voorkomen dat een rood sein op het spoor wordt gepasseerd.

De Nederlandse Spoorwegen besloten pas na het zeer ernstige treinongeval in Harmelen op 8 januari 1962 tot de invoering van dit extra beveiligingssysteem. In Harmelen vond vijftig jaar geleden de ergste treinramp plaats in onze geschiedenis, waarbij 93 doden en 52 gewonden vielen te betreuren. De invoering van het atb-systeem heeft ruim dertig jaar geduurd en het kende van meet af aan twee belangrijke functionele beperkingen: het systeem grijpt niet in als de trein minder dan 40 km/u rijdt, en ook kan met een onvoldoende remming alsnog een rood sein worden gepasseerd. Het gevolg was dat roodlichtpassages veelvuldig bleven voorkomen.

In 1992 – dertig jaar na het treinongeval in Harmelen – vond in Eindhoven een ernstige treinbotsing plaats als gevolg van een roodlichtpassage, waarop de Spoorwegongevallenraad adviseerde dat een nieuw atb-systeem absoluut noodzakelijk was vanwege die bestaande functionele beperkingen. Het treinverkeer was immers niet alleen veel intensiever geworden, maar tevens waren de snelheden verhoogd en was het aantal roodlichtpassages toegenomen.

De Nederlandse Spoorwegen gaven op de openbare hoorzitting toe dat de invoering van een nieuwe generatie van het atb-systeem zeker voor de veiligheid op het spoor noodzakelijk was en dat een atb nieuwe generatie in ontwikkeling was. Bij een versnelde aanpak zou deze nieuwe atb in 2005 ingevoerd kunnen zijn. De invoering bleef echter uit vanwege de verwachte komst van het Europees Veiligheidssysteem (ERTMS). Bij dit besluit om af te zien van de invoering van de atb nieuwe generatie werd echter een aantal vragen niet beantwoord, zoals: hoelang gaat dit uitstel duren? en: wat betekent dit voor de beveiliging tegen roodlichtpassages? Komt het Europese veiligheidssysteem op het gehele Nederlandse net of slechts op een gedeelte? En als het Europese systeem slechts op een deel van het Nederlandse spoorwegnet komt, wat betekent dit dan voor de overige delen in het net?

In 1999 deed zich wederom een ernstig treinongeval voor naar aanleiding van een roodlichtpassage, dit keer bij Dordrecht. De opvolger van de Spoorwegongevallenraad, de Raad voor de Transportveiligheid, stelde in zijn onderzoeksrapport dat het atb-systeem nog steeds verouderd was en dat het aantal roodlichtpassages in vijf jaar tijd bijna was verdubbeld. Wederom werd de minister gevraagd zich uit te spreken over de komst van het Europese veiligheidssysteem. De reactie van de toenmalige minister van Verkeer en Waterstaat op de aanbeveling uit het rapport was dat het Europees veiligheidssysteem te duur was om alleen voor de veiligheid in te voeren: 'Hieruit kunt u opmaken dat de vervanging niet uitsluitend op basis van veiligheidsoverwegingen zal plaatsvinden. Gezien de met de vervanging gemoeide kosten (enige miljarden euro's bij invoering in geheel Nederland) en de geringe voordelen voor veiligheid, zouden andere argumenten hiervoor de doorslag moeten geven, zoals kwaliteitsverbetering, capaciteitsbeheer en interoperabiliteit.'

De minister gaf geen inzicht in de concrete planning.

Vervolgens hebben zich nog ernstige ongevallen met roodlichtpassages voorgedaan, zoals in 2004 op het Centraal Station in Amsterdam. Naar aanleiding van dit ongeval heb ik zelfs opgemerkt dat de Raad voor de Transportveiligheid dit ongeval niet verder meer zou onderzoeken als het opnieuw een roodlichtpassage zou blijken te zijn. Het structurele veiligheidstekort – voortvloeiende uit het verouderde atb-systeem – was bij de Spoorwegen genoegzaam bekend. Prachtig antwoordde de minister van Verkeer en Waterstaat: 'Als de voorzitter van de Raad dit ongeval niet onderzoekt, dan zoeken wij een nieuwe voorzitter!' Na uitgebreide debatten hierover met de Tweede Kamer is toen besloten om een aantal 'gevoelige' seinen voor roodlichtpassages extra te gaan beveiligen.

Maar in 2009 werden wij voor de zoveelste maal geconfronteerd met een ernstig treinongeval ten gevolge van een roodlichtpassage. In Barendrecht waren twee goederentreinen frontaal met elkaar in botsing gekomen. Dit ongeval had mede door zijn complexe ligging nog veel erger kunnen aflopen.

Ondanks dit ernstige treinongeval en al die eerdere treinongevallen ten gevolge van roodlichtpassages besloot de overheid slechts een aantal risicovolle seinen bij emplacementen extra te gaan beschermen met een atb-vv-systeem (afkorting voor atb-verbeterde versie). Het Nederlandse spoor kent in zijn totaliteit 10 000 seinen, waarvan er 6000 liggen bij emplacementen en 4000 in de vrije baan. Sinds het treinongeval op het Centraal Station in Amsterdam in 2004 zijn of worden er nu zo'n 1600 seinen – van de 6000 – van zo'n 'verbeterde versie' voorzien. Op het overige net wordt verder nog steeds gewerkt met het verouderde vangnet, het verouderde atb-systeem, dat stamt uit de jaren vijftig van de vorige eeuw.

Op 21 april 2012 was er nogmaals een ernstige frontale botsing tussen twee treinen, dit keer aan de westkant van Amsterdam tussen het Centraal Station en Amsterdam Sloterdijk. Hierbij overleed later één passagier aan haar verwondingen en raakten 41 passagiers zwaar- en 75 passagiers lichtgewond.

Snel na dit ongeluk werd duidelijk dat er weer sprake was van een roodlichtpassage. Vanzelfsprekend deed het de discussie over de invoering van een nieuw beveiligingssysteem in ons land weer oplaaien.

In juni 2012 besloot het kabinet, na een twintigjarig debat, om het Europese beveiligingssysteem ERTMS op het Nederlandse spoorwegnet 'op termijn' te gaan invoeren. Op dit moment is mij nog niet duidelijk of het ERTMS-systeem op het gehele Nederlandse spoorwegnet zal worden ingevoerd of slechts op een gedeelte ervan. Overigens maakte deze kabinetsbeslissing nog eens heel duidelijk dat de huidige spoorwegbedrijven helemaal niet hun eigen verantwoordelijkheid voor veiligheid op het spoor kunnen nemen! Zo'n investering voor de invoering van het Europese beveiligingssysteem is zo omvangrijk dat alleen het kabinet hierover kan beslissen. Ik hoop oprecht dat in de huidige financieel gezien moeilijke periode deze beslissing nu zal worden nagekomen.

Economische motieven speelden zelfs een rol bij de NASA, waar ik dat zelf nooit zou hebben verwacht. Juist bij de ruimtevaart, waar je spreekt over een kwestie van leven of dood, zou je toch verwachten dat het onderwerp veiligheid op de eerste plaats zou komen. Het tegendeel bleek echter uit het onderzoeksrapport naar de explosie met de spaceshuttle Challenger. Uit het rapport bleek dat de lekkages met de sluitringen van deze spaceshuttle bekend waren, maar het verhelpen van dit euvel zou een zéér kostbare operatie worden, waarbij tevens het lanceerschema zou moeten worden verlaten. En... 'er was immers nog nooit iets gebeurd!' Na de ontploffing van de shuttle schreef de onderzoekscommissie een zeer kritisch rapport over het veiligheidsbeleid bij de NASA, waar volgens hen de veiligheid het aflegde tegen lanceerschema's en budgeteisen.

Helaas kan ik talloze voorbeelden noemen van zaken waar veiligheid te gemakkelijk het onderspit delfde bij een afweging tegen economische belangen. De vraag is dan vervolgens: 'Hoe kun je dat nu helpen voorkomen?' Vroeger, toen de veiligheid nog werd gezien als een taak van de overheid alleen, was het antwoord, *right or wrong* heel eenvoudig: méér regels en méér toezicht!

Maar dat denken is nu definitief voorbij. Want in de jaren tachtig en negentig van de vorige eeuw is zowel nationaal als internationaal een fundamentele wijziging opgetreden in de bestaande veiligheidsfilosofie. De veiligheid werd nu niet meer gezien als een taak voor de overheid alleen, maar als een taak voor de samenleving in zijn totaliteit. Veiligheid werd voor het eerst gezien als een gedeelde verantwoordelijkheid. 'Voor het eerst' klinkt wellicht wat overdreven, maar in het grijze verleden werd de veiligheid altijd beschouwd als een taak van de burgers zelf. Stamhoofden deelden straffen uit en de burgers probeerden de waterputten niet te laten vervuilen. Omdat burgers vaak slordig met het onderwerp veiligheid omgingen, zie je de veiligheid, zodra de staat aan kracht begint te winnen, geleidelijk naar de overheid verschuiven. En vanaf de industrialisatie werd de veiligheid beschouwd als een taak van de overheid.

Deze veiligheidsfilosofie – de veiligheid als een taak van de overheid alleen – wijzigde echter fundamenteel, nationaal en internationaal, in de jaren tachtig en negentig van de vorige eeuw. In Nederland werd deze fundamentele wijziging ingeluid door de commissie-Roethof, die zich in de jaren tachtig boog over de aanpak van de kleine criminaliteit. De commissie kwam tot de conclusie dat 'de medeverantwoordelijkheid van de samenleving in al haar geledingen voor de preventie van de kleine criminaliteit dient te worden geactiveerd'.

Deze visie op medeverantwoordelijkheid voor veiligheid werd in 1985 overgenomen in het beleidsplan 'samenleving en criminaliteit' van het ministerie van Justitie. Sindsdien zag je dat die nieuwe veiligheidsfilosofie van de medeverantwoordelijkheid voor veiligheid in ons land ongecontroleerd begon uit te waaieren naar alle veiligheidssectoren. Overal werd plotseling verkondigd dat iedereen geacht werd zijn eigen verantwoordelijkheid voor veiligheid op zich te nemen. Weliswaar was de veiligheid nog wel een kerntaak van de overheid, maar burgers, ondernemingen en organisaties waren hiervoor nu medeverantwoordelijk geworden.

Deze fundamentele koerswijziging heb ik altijd heel begrijpelijk en logisch gevonden, omdat iedereen met enige belangstelling voor dit vraagstuk zich realiseerde dat de overheid natuurlijk nooit 'alleen' de veiligheid kon garanderen of waarborgen. Wel heeft de overheid zelf lang verkondigd dat zij de veiligheid als haar kerntaak zag en heeft zij zich uitermate lang terughoudend opgesteld met betrekking tot het stimuleren en het accepteren van andere initiatieven op dit gebied. Geen particuliere bewakingsdiensten in het openbaar domein en dergelijke.

Bij zo'n fundamentele koerswijziging zou het logisch zijn geweest als de overheid de regie had genomen (veiligheid is en blijft immers haar kerntaak) en duidelijk had gemaakt waaruit die eigen verantwoordelijkheid voor veiligheid van burgers, van ondernemingen en organisaties dan bestaat. Wat mag je nu van hen op dit gebied (gaan) verwachten en hoe verhouden deze verantwoordelijkheden zich met de verantwoordelijkheid van de overheid? Is hierin bijvoorbeeld sprake van een balans?

Helaas heeft de overheid deze regie nooit op zich genomen, omdat het onderwerp veiligheid daarvoor van oudsher te versnipperd en te verkokerd was. Niemand binnen de overheid voelde zich geroepen om op dit gebied het voortouw te nemen. Deze gang van zaken had tot gevolg dat het idee van medeverantwoordelijkheid of van eigen verantwoordelijkheid voor veiligheid binnen de sectoren niet, of overal verschillend, werd opgevat. Daardoor is er van meet af aan in de praktijk een grote onduidelijkheid over die eigen verantwoordelijkheid ontstaan, zowel in de wereld van de sociale veiligheid (security) als in de wereld van de fysieke veiligheid (safety).

Een goed voorbeeld van de bestaande onduidelijkheid op het terrein van de sociale veiligheid vond ik de beantwoording van de vraag: wat mag je bijvoorbeeld van burgers verwachten bij geweld op straat? Eigenrichting mag vanzelfsprekend niet, want waarvoor hebben wij anders de politie? Maar... je hoeft ook niet lijdzaam toe te zien hoe iemand in elkaar wordt geslagen. Merkwaardig genoeg vloeit dit dualisme niet voort uit het noodweerartikel, artikel 43 van het Wetboek van Strafrecht, dat indertijd – in 1886 – door minister Modderman werd ingevoerd. In dit artikel staat namelijk geschreven: 'Niet strafbaar is hij, die een feit begaat, geboden door noodzakelijke verdediging van eigen of anders lijf, eerbaarheid of goed tegen ogenblikkelijke, wederrechtelijke aanranding.'

Dit artikel is ruim geformuleerd en beoogde de burgers dan ook meer ruimte te geven om handelend op te treden. Merkwaardig genoeg is dit artikel door de rechters heel lang beperkt uitgelegd uit angst dat het anders de eigenrichting zou kunnen bevorderen. Vanuit strafrechtelijk oogpunt werd je zelfs aangeraden om bij geweld maar door te lopen, want bij het uitdelen van een klap zou het Openbaar Ministerie je weleens kunnen vervolgen. Met als resultaat onduidelijkheid op dit gebied. Enerzijds luidt nu de instructie: 'Bel 112, onthoud het profiel van de dader en laat het slachtoffer niet in de steek', en anderzijds wordt zelfs door gezagdragers opgemerkt: 'Ik zou hem een rotschop hebben gegeven.'

Met de Stichting Maatschappij, Veiligheid en Politie ben ik nu bezig in kaart te brengen wat je eigenlijk van burgers zou mogen verwachten, niet alleen bij geweld op straat – de sociale veiligheid – maar ook bij de fysieke veiligheid, zoals bij een auto die te water is geraakt, een huis dat in brand staat of een auto-ongeluk dat voor je ogen gebeurt. Wat zou een burger in dergelijke situaties moeten doen? En dan spreek ik natuurlijk vooral over de tijdsperiode vóór dat de hulpdiensten arriveren en je als burger er min of meer alleen voor staat!

Bij de fysieke veiligheid wees de onderzoekscommissie naar de vuurwerkramp in Enschede ons duidelijk op deze bestaande onduidelijkheid over die eigen verantwoordelijkheid voor veiligheid van een onderneming. Bij zo'n calamiteit, schreef de commissie, wordt direct door de samenleving de blik gericht op de overheid en de vraag gesteld: 'Waar was de overheid?' En: 'Wat heeft de overheid gedaan om deze ramp te voorkomen?' Op zich zijn dit zeker terechte vragen, maar zo'n benadering staat in deze tijd wel op gespannen voet met de huidige tendens naar vrijheid en de tendens om de betutteling door de overheid af te wijzen. Het accent wordt gelegd op ieders eigen verantwoordelijkheid voor veiligheid. Als gezegd, de veiligheid is nog immer een kerntaak van de overheid, waarbij de overheid moet trachten om deze veiligheid zo goed mogelijk te waarborgen.

Om een antwoord te vinden op wat 'zo goed mogelijk' zou moeten inhouden, stelde de onderzoekscommissie voor 'dat in een maatschappelijk debat de balans zou moeten worden opgemaakt tussen de omvang van de verantwoordelijkheid van de overheid voor veiligheid en die van bijvoorbeeld de onderneming'. En ook schreef de commissie: 'Er zal bereidheid moeten bestaan om de consequenties van de uitkomsten van dat debat voor de aard en de omvang van de overheidstaak te aanvaarden.'

Helaas heeft dit maatschappelijke en essentiële debat over de veiligheid nooit plaatsgevonden, want wie zou in die versnipperde veiligheidswereld en binnen die verkokerde overheid hiervoor het initiatief willen nemen?

Daarom heb ik indertijd met de Onderzoeksraad voor Veiligheid en de Stichting Maatschappij, Veiligheid en Politie mijn schouders onder dit debat gezet. Uit veel onderzoeken bleek grote onduidelijkheid te bestaan over die eigen verantwoordelijkheid voor veiligheid. En deze onduidelijkheid vind ik voor de samenleving onaanvaardbaar. Niet alleen kan het veel negatieve consequenties voor de samenleving in zich herbergen, maar eveneens leven wij nu in het tijdperk van de zelfregulering, in het tijdperk van 'laat het aan de sector zelf over en geen betutteling meer door de overheid'. Dat is allemaal prachtig en goed, maar dan moet er toch wel duidelijkheid komen over wat wij van de eigen verantwoordelijkheid van ondernemingen en organisaties als samenleving mogen verwachten. Zonder die duidelijkheid komen wij met de veiligheid anders in een soort casinospel terecht van 'het kan goed of het kan slecht gaan'.

Over de kerntaak van de overheid voor veiligheid bestaat eigenlijk geen discussie. Die berust in principe op twee pijlers: de wetgeving en het toezicht op de wet- en regelgeving. Met betrekking tot het toezicht moet echter wel worden opgemerkt dat dat aan beperkingen onderhevig is. Niet alleen weet het zich beperkt tot de regels die voortvloeien uit de vigerende wet- en regelgeving, maar eveneens is het door zijn beperkte omvang meestal gericht op de risicovolle sectoren.

Maar wat betekent nu 'de zelfregulering' voor het onderwerp veiligheid? Zelfregulering of, met andere woorden, 'laat het aan de sector zelf over' betekent in de praktijk dat het onderwerp veiligheid minder wordt vastgelegd in wetgeving en meer vorm krijgt in de normen en de richtlijnen van de sector zelf. Met als gevolg dat het overheidstoezicht nog verder wordt beperkt, omdat de normen en richtlijnen van de sector zelf – hetgeen niet-verbindende voorschriften zijn – zich aan het zicht van de overheid onttrekken. De conclusie is dan ook dat de overheid in het tijdperk van de zelfregulering het zicht op de veiligheid aan het verliezen is, en dat geldt helaas ook voor de risicovolle sectoren. Kortom, de zinsnede dat veiligheid een kerntaak van de overheid is, wordt langzamerhand een misleidende uitspraak.

In de praktijk is de samenleving door deze gang van zaken voor zijn veiligheid veel afhankelijker geworden van het veiligheidsbeleid van een onderneming of een organisatie. Denk hierbij aan de consequenties voor de samenleving als het veiligheidsbeleid te wensen overlaat in bijvoorbeeld ziekenhuizen, organisaties die betrokken zijn bij de voedselketen, het openbaar vervoer of risicovolle bedrijven, zoals bij een kerncentrale etc. Nog steeds ben ik de mening toegedaan dat de overheid absoluut niet alleen de veiligheid kan garanderen of waarborgen. En om deze reden steun ik dan ook van harte de filosofie 'je moet het aan de sector zelf overlaten'. Maar de kerntaak van de overheid voor veiligheid houdt naar mijn mening dan wel in dat de overheid op dit gebied veel meer als veiligheidsregisseur moet gaan optreden, dus de regie in handen moet nemen.

Ik vind het een taak van de overheid om erop toe te zien dat het onderwerp veiligheid niet te gemakkelijk het onderspit delft bijvoorbeeld ten opzichte van economische belangen. Daarnaast dient de overheid alsnog duidelijkheid te scheppen over wat die eigen verantwoordelijkheid voor veiligheid nu inhoudt. Die eigen verantwoordelijkheid voor veiligheid vind ik net zo onduidelijk en net zo voor velerlei uitleg vatbaar als het beroemde woord 'onafhankelijkheid'. En dat is voor de veiligheid van de samenleving een uitermate zorgelijk gegeven.

Bij de onafhankelijke onderzoeken hebben wij bij de Onderzoeksraad indertijd een referentiekader opgesteld om te kunnen beoordelen of een onderneming of een organisatie haar eigen verantwoordelijkheid voor veiligheid was nagekomen. Op grond van internationaal en nationaal aanvaarde voorschriften hebben wij enkele veiligheidsaandachtspunten geformuleerd die beogen om een adequaat stelsel van risicobeheersing binnen iedere onderneming of organisatie te bewerkstelligen. Zowel nationaal als internationaal is in een aantal sectoren een dergelijk stelsel voorgeschreven, zij het geenszins dekkend te noemen voor alle situaties, terwijl er bovendien grote verschillen zichtbaar zijn in de formulering van al die verschillende voorschriften en in de wijze waarop deze worden gehandhaafd.

Nu is bijvoorbeeld zo'n verplichte risico-inventarisatie en -evaluatie in ons land voorgeschreven in de Arbeidsomstandighedenwet van 2007. Deze is echter alleen van toepassing op de werknemers en geldt niet voor de aanwezige burgers, patiënten of andere bezoekers die toevallig met het bedrijf of de organisatie te maken krijgen.

Op hoofdlijnen hanteren wij als referentiekader dat iedere

organisatie of onderneming dient te beschikken over een risico-inventarisatie die gebaseerd moest zijn op de vigerende
wet- en regelgeving, op de normen en de richtlijnen van de
sector zelf, maar ook op de eigen regels van de organisatie of
de regels die voortvloeien uit het eigen 'vinger-aan-de-pols-
beleid'. Deze risico-inventarisatie geldt niet alleen voor de
werknemers, maar ook voor derden, zoals bezoekers, passagiers, celbewoners of patiënten etc. Deze risico-inventarisatie moet niet alleen een duidelijk inzicht geven in 'welke'
risico's moeten worden beheerst en 'waarom'. Eveneens dient
men in dit veiligheidsmanagement aan te geven hoe men de
risico's wil beheersen, hoe de verantwoordelijkheden zijn
toegewezen, hoe het intern toezicht hierop wordt vastgelegd, alsmede hoe het communicatiebeleid hieromtrent ge-
stalte wordt gegeven.

Aanvaardden de onderzochte organisaties dit referentiekader? Vanzelfsprekend kan het leiden tot verhitte debatten.
Zeker het handhaven van de eigen afspraken of de richtlijnen
uit de sector zelf! Het zijn immers niet-verbindende voorschriften. Maar uiteindelijk werd het meestal – vanwege de
logica – door iedereen aanvaard. Een uitzondering hierop
vormde indertijd de reactie van de minister van Justitie op
het conceptrapport van de Onderzoeksraad 'Brand Cellencomplex Schiphol-Oost'. De minister schreef daar onder
andere over: 'In uw rapport lijkt u normen te bepleiten die
verder reiken dan de (bestaande invulling van) normen die
voortvloeien uit de vigerende regelgeving. Dit geldt met
name voor de invulling van het veiligheidsmanagement,
waaraan u in uw referentiekader een groot gewicht toekent.
Met veiligheidsmanagement bedoelt u de manier waarop
organisaties, naast geldende wet- en regelgeving, invulling
geven aan veiligheid. Het gaat daarbij om het integraal ver-
werven van inzicht in risico's, een realistische brandveilig-
heidsaanpak en het uitvoeren, handhaven en aanscherping
daarvan, sturing, betrokkenheid en communicatie. U schetst

daarbij ook een nieuwe verantwoordelijkheidsverdeling [...], waarbij aan de betrokken partijen afzonderlijk bezien bredere, verder reikende verantwoordelijkheden worden toegekend dan op grond van vigerende wet- en regelgeving geldt.'

Dit antwoord gaf duidelijk aan dat er zeer verschillend over het nemen van je eigen verantwoordelijkheid kan worden gedacht. Op zich lijkt het mij meer dan logisch – zeker in het tijdperk van zelfregulering – dat je je dient te houden aan de richtlijnen en normen van de eigen sector. Maar hier is de reactie: 'U lijkt normen te bepleiten die "verder" reiken, dan de normen die voortvloeien uit de vigerende regelgeving.' Naar mijn mening was dit voor de veiligheid in het algemeen een zéér verontrustende reactie, die gelukkig niet werd gedeeld in het definitieve standpunt, van 18 oktober 2006, van de ministers van Justitie en van Volkshuisvesting, Ruimtelijke Ordening en Milieubeheer.

Samenvattend schreven de ministers het volgende over het door ons gehanteerde referentiekader:

Het referentiekader is gebaseerd op drie onderdelen: de relevante regelgeving, aanvullende richtlijnen en de invulling van de eigen verantwoordelijkheid voor het veiligheidsmanagement. De essentie van veiligheidsmanagement is het organiseren en organisatorisch verankeren van een wijze van werken, waarbij risico's worden geïnventariseerd, aantoonbaar en realistisch worden aangepakt, de aanpak wordt uitgevoerd en gemonitord en er naar aanleiding van evaluaties permanent aandacht is voor mogelijkheden voor verbeteringen.

Kenmerk is dat deze wijze van werken niet op ad-hocbasis plaatsvindt, maar gestructureerd. Kenmerk is ook dat deze wijze van werken transparant is en de leiding van de organisatie zorg draagt voor een klimaat en cultuur waarin het veiligheidsbewustzijn goed ontwikkeld is.

De installatie van de Onderzoeksraad voor Veiligheid in 2005.
(Foto: ANP/Capital Photos)

Minister Remkes overhandigt de voorzittershamer bij de installatie van de Onderzoeksraad voor Veiligheid in 2005. (Foto: ANP)

Zo te zien was het een ingewikkelde materie.
(Foto: privébezit; afkomstig van ESA Photo)

Slachtoffer kijkt zeer verschrikt naar deze hulpverlener.
(Foto: privébezit; afkomstig van *De Telegraaf*)

Bij de beoordeling van de gang van zaken rond de brand is het vanzelfsprekend dat overheidsdiensten zich aan de regelgeving moeten houden. Het kabinet deelt de opvatting van de Onderzoeksraad dat hierbij ook de voor de uitvoeringspraktijk opgestelde richtlijnen relevant zijn. Van de betrokken overheden mag worden verwacht dat zij deze richtlijnen als uitgangspunt nemen voor hun keuzes en handelen en daarvan niet anders dan met goede redenen afwijken.

Alhoewel deze reactie van o.a. de minister van Justitie, over het zich moeten houden aan de normen en richtlijnen van de sector, aanzienlijk positiever is dan de reactie van zijn voorganger, kunnen nog wel grote vraagtekens worden geplaatst bij de uitspraak: 'Je mag er niet anders dan met goede redenen van afwijken!'

Wat moet je met zo'n zinsnede in de praktijk? Wat gebeurt er als iedereen op grond van zijn eigen redenen van de normen en richtlijnen gaat afwijken? Ik kom hier later nog op terug.

Op grond van de vele reacties in onze debatten hierover, en op grond van de 'positieve' reactie van het kabinet, heb ik indertijd de minister van Justitie voorgesteld om de beginselen die wij hanteren met betrekking tot het inhoud geven aan je eigen verantwoordelijkheid voor veiligheid bij ondernemingen en organisaties, vast te leggen in een kleine veiligheidswet. Zo'n veiligheidswet acht ik voor de samenleving van zeer grote betekenis. Allereerst schept zo'n wet duidelijkheid over wat men van een organisatie op dat gebied mag verwachten. Deze duidelijkheid bestaat nu geenszins en met deze wet ontstaat niet alleen duidelijkheid hierover in één bepaalde sector, maar in alle sectoren. Tevens schept zo'n wet voor het eerst voor de overheid de mogelijkheid om te controleren of de organisaties ook daadwerkelijk aan hun eigen verantwoordelijkheid inhoud geven, wat nu in de meeste gevallen niet mogelijk is. Zelfregulering klinkt op zich heel aantrekkelijk, maar je moet als overheid, als veiligheidsregisseur, ter wille van de veiligheid in de samenleving naar mijn volle overtuiging wel kunnen controleren of de organisaties zich ook daadwerkelijk houden aan de afgesproken spelregels, de wettelijke en de eigen. Zeker is waakzaamheid geboden als je in een economische crisis zit en je weet dat economie en veiligheid elkaar niet liggen.

De minister antwoordde echter dat het kabinet geen toegevoegde waarde zag in een verankering van deze beginselen in een algemeen publiekrechtelijke wet. 'Een algemene formulering zou door haar onbepaaldheid kunnen leiden tot rechtsonzekerheid over het gewenste gedrag in concrete situaties. Dat kan leiden tot een uit het oogpunt van maatschappelijke/economische ontwikkeling disfunctionele zekerheid en het risico mijden, gepaard gaande met een overmatige juridisering van de veiligheidszorg!'

De eerlijkheid gebiedt mij op te merken dat ik zelf, noch de mensen die ik hierover heb geraadpleegd, ooit de strekking van deze zin hebben begrepen. Het enige wat ik heb kunnen achterhalen, is dat deze formulering indertijd identiek is gebruikt door de minister van Volkshuisvesting, Ruimtelijke Ordening en Milieubeheer in een nota van 2 april 2009 aan de Tweede Kamer naar aanleiding van een advies van de Wetenschappelijke Raad voor het Regeringsbeleid. Deze nota betrof overigens wel een ander onderwerp!

Ondanks dit onbegrijpelijke antwoord – soms vraag ik mij oprecht af hoe je zoiets eigenlijk durft op te schrijven – zal het streven gericht moeten zijn op de komst van zo'n Veiligheidsbeginselenwet. Als de veiligheid een kerntaak van de overheid is, en burgers, ondernemingen en organisaties hiervoor medeverantwoordelijk zijn, dan zal de overheid toch duidelijk moeten maken wat je van die ondernemingen en organisaties op dit gebied mag verwachten. En dat verwachtingspatroon moet je ook kunnen controleren.

Zelfregulering mag toch niet uitmonden in een tijdperk van 'ik kijk wel of het mij uitkomt'.

Het gaat mij niet om een maatschappij zonder risico's. Dat kan niet en dat zou je ook niet moeten willen. Maar met zo'n wet wil ik wel proberen te bereiken dat wij in de toekomst veel bewuster met risico's omgaan.

Aan de hand van een aantal onafhankelijke onderzoeken wil ik nog eens laten zien dat organisaties in de praktijk – mij eigenlijk veel te regelmatig – zich heel weinig kritisch opstellen tegenover de door hen te beheersen risico's. Hun eigen risico-inventarisaties zijn of niet compleet of men houdt zich niet aan de afspraken die men zelf heeft gemaakt. Ook toont de praktijk regelmatig aan dat de bestaande toezichthouders (zowel intern als extern) in diezelfde gevallen niet in staat zijn geweest als correctiemechanisme te fungeren.

Enkele onderzochte gevallen

Bij de brand in het cellencomplex op Schiphol-Oost was het opvallend dat de risico's die aan een dergelijke brand zijn verbonden vooraf onvoldoende waren geïnventariseerd. De oorzaak van deze beperkte inventarisatie lag in het feit dat in de praktijk van alledag de aandacht vooral gericht was op het insluiten en het ingesloten houden van de gedetineerden. Zaken zoals instructies over het lezen en oefenen van een calamiteitenplan vallen dan al snel af. Op de werkvloer leefde het calamiteitenplan dan ook niet en ook was nooit ontdekt dat het op een aantal cruciale onderdelen onvoldoende realistisch was.

Zo was de veronderstelling onder andere dat de brandweer 'fysiek in de buurt was', zodat het bevrijden van celbewoners, bijvoorbeeld 's nachts, niet alleen een taak voor de bewaarders zou zijn. In werkelijkheid was de brandweer helemaal niet dichtbij. Door gebrek aan communicatie hierover en doordat het personeel onvoldoende was opgeleid, geïnstrueerd, geëquipeerd en geoefend, had de bhv-organisatie zich niet gerealiseerd dat zij zeker vijftien minuten lang op zichzelf aangewezen zou zijn.

Normaal gesproken gaan de nooddeuren bij brand automatisch open door de brandmeldinstallatie, maar omdat het detentiecentrum deze situatie 'onwenselijk' vond, was dit mechanisme opgeheven. Een aantal mensen kreeg nu – als extra maatregel – een sleutel, maar omdat de brandweer niet goed werd opgevangen, beschikten zij niet over deze sleutel.

Ook Chemie-Pack beheerste, zoals reeds opgemerkt, zijn risico's in het geheel niet. Men hield zich niet alleen niet aan de verleende vergunning, maar ook niet aan de eigen procedures. De beheersing van risico's was ver beneden het niveau dat je van zo'n bedrijf – dat valt onder 'het besluit risico's zware ongevallen' – zou mogen verwachten. In Nederland vallen ruim vierhonderd bedrijven onder deze regeling. Schokkend vond ik ook in deze zaak te moeten vernemen dat de toezichthouders, die zich veelal concentreren op de risicovolle sectoren, een veel te grote coulance aan de dag hebben gelegd.

Het proces van de vergunningverlening heeft door de vele tekortkomingen in de aanvraag zes jaar in beslag genomen. Een dergelijke gang van zaken past toch niet voor een bedrijf dat actief is in een risicovolle sector. Ook voor de samenleving, die haar vertrouwen erin stelt dat de veiligheid gegarandeerd is, acht ik zoiets onaanvaardbaar.

Het gebrek aan veiligheidsvoorzieningen, het patroon van herhaling en de overtreding van voorschriften werden door de overheid niet gezien als een aanwijzing van een gebrekkige veiligheidsbeheersing. En ten slotte werden hier de inspecties ook nog eens vooraf aangekondigd en uitgesteld als het niet schikte! Ook verontrustend vond ik de zinsnede dat 'binnen twee maanden na de brand, de VROM-inspectie wist te melden dat er nog veel meer bedrijven zijn waar de veiligheid te wensen overlaat'. Het is, zoals de Onderzoeksraad in zijn rapport opmerkte, verbazingwekkend dat dit 'zo snel na dit voorval' kon worden vastgesteld, terwijl daarvoor nooit bekend was gemaakt dat er in deze risicovolle sector sprake was van aanzienlijke veiligheidstekorten!

Indertijd is naar aanleiding van vijf voorvallen een onderzoek gedaan naar de veiligheid van personenvervoer met draagvleugelboten op het Noordzeekanaal en het IJ. Wij spreken hier over openbaar vervoer met snelle schepen en een snel schip is volgens de wet een schip dat met een snelheid van meer dan 40 km/u kan varen. Snelle schepen moeten overeenkomstig diezelfde wettelijke regeling altijd voorrang verlenen aan andere (langzame) vaarweggebruikers. De draagvleugelboot is zo'n snel schip, want deze vaart circa 60 km/u (dienstsnelheid).

De overige scheepvaart op het Noordzeekanaal vaart maximaal 18 km/u. Bij het onderzoek werd echter geconstateerd dat de uitwijkmogelijkheden van de draagvleugelboten op het Noordzeekanaal beperkt zijn. Dit heeft te maken met onder andere de stopweg. De afgelegde afstand bij het varen met dienstsnelheid tot het volledig stilliggen, bedroeg tussen de 190 en 280 meter! De draaicirkel over stuurboord bedroeg zo'n 860 meter en over bakboord zo'n 960 meter. Kortom, het op tijd stoppen of uitwijken wordt voor de schipper op zo'n draagvleugelboot zeer lastig. De schipper moest dus binnen een te korte tijd en op een te grote afstand van het te ontwijken object een koerswijziging inzetten om tijdig te kunnen uitwijken. Dit probleem deed zich niet alleen voor bij goede zichtomstandigheden, maar ook bij slechte. Bij een dienstsnelheid van 60 km/u was het feitelijk onmogelijk om 'altijd' aan de wettelijke voorrangsregel te voldoen. De schipper had bij onverwachte situaties absoluut onvoldoende tijd om te anticiperen. Juist op dit traject klemt dit gegeven des te meer omdat bij het Noordzeekanaal sprake is van diverse havens met veel kruisend verkeer. Normaal gesproken is het verlagen van de snelheid de oplossing om gevaarlijke situaties te voorkomen, maar bij een draagvleugelboot verslechtert de stabiliteit en de manoeuvreerbaarheid tussen de 20 en 45 km/u.

Om deze reden werd door de schipper ook bij minder goede zichtomstandigheden een hoge snelheid aangehouden. Bij het onderzoek bleek dat geen enkele van alle betrokken partijen bij de totstandkoming van deze openbaarvervoerverbinding een risico-inventarisatie van de veiligheid had ingesteld. In de verrichte studies stonden de economische haalbaarheid en de reistijd centraal. Veiligheid is nooit een voorwerp van onderzoek geweest, waardoor nimmer is gebleken dat deze draagvleugelboot eigenlijk helemaal niet kon voldoen aan de wettelijke uitwijkverplichting.

DUIKONGEVAL

Ook bij een duikongeval met een brandweerteam in Terneuzen bleek de zeer gebrekkige risico-inventarisatie de oorzaak van het voorval te zijn. Een brandweerduiker verloor zijn leven bij deze duikinzet. Het duikteam werd ingezet bij het zoeken van een auto die vermoedelijk te water was geraakt en daar in dat geval al enkele dagen zou liggen. Haast was er dus niet, zou je zeggen. Het duikteam had geen rekening gehouden met de specifieke omstandigheden van deze duik en heeft daarmee geen zicht gehad op de risico's. Het duikteam heeft de weersomstandigheden niet als risico voor de veiligheid van de duikers beoordeeld. De weersomstandigheden – harde wind, windkracht 7 – hebben echter een zeer negatieve invloed gehad op de zelfredding en redding van de in moeilijkheden geraakte duiker.

Daarnaast is de seinlijn, een primair communicatiemiddel, bij deze inzet gebruikt in de zoekmethode. Overigens had de duiker eveneens een werklijn bij zich. Met de seinlijn werd bewust tegen het voertuig aan gezwommen om het te kunnen lokaliseren, met het risico dat de seinlijn kon vastraken. De seinlijn zou geen andere doeleinden moeten dienen dan voor communicatie met de wal. Ten slotte was voorafgaand aan de duikinzet de opdracht niet afgestemd op de hoeveelheid ademlucht; dit leverde op voorhand tijdsdruk op voor de duik. Alle brandweerduikers hadden in een relatief korte duik een hoog verbruik van ademlucht en moesten tijdens de opdracht daardoor ook hun reservehoeveelheid ademlucht aanspreken.

In 2005 werd het duikteam operationeel en in 2008 vond het dodelijke voorval in Terneuzen plaats. Twee jaar na het operationeel worden, in 2007, heeft de arbodienst de aan het duiken verbonden risico's op verzoek van de gemeente Terneuzen geïnventariseerd. Wettelijk is zo'n inventarisatie vereist vóór de aanvang van de werkzaamheden, en dat was in 2005!

De arbodienst constateerde onder andere dat de risico-inschatting bij het duiken niet voldoende was. Volgens deze dienst was de registratie van geoefendheid en inzetbaarheid van de duikers niet geregeld. Evenmin waren de verantwoordelijkheden en de bevoegdheden vastgelegd en het bleek dat de gemeente niet goed in beeld had hoe het korps geoefend was. Ook was het inschatten van de risico's in complexe situaties moeizaam vanwege onvoldoende kennis, ervaring en inzicht. De gemeente was in 2008 'bezig' met een plan van aanpak, omdat uit dit arbodienstrapport duidelijk werd dat de gemeente geen rekening had gehouden met de bijzondere arbeidsrisico's van dit specialisme.

Alhoewel de Arbowet- en regelgeving van toepassing zijn op het brandweerduiken, is de praktische en organisatorische invulling ervan een zaak van vergaande zelfregulering door de 'branche'-brandweer. De branche voorziet in deskundige adviezen via (vele) leidraden die géén bindende voorschriften zijn en zich daardoor ook onttrekken aan het (toe)zicht van de arbeidsinspectie.

Naar aanleiding van eerdere duikongevallen was onder andere door het ministerie van Binnenlandse Zaken en Koninkrijksrelaties en het Nederlands Instituut Fysieke Veilig-

heid de leidraad 'Bestrijding waterongevallen door de brandweer' aangepast, maar deze aanpassingen garanderen niet dat
de werkgevers – in dit geval de gemeente Terneuzen – deze
ook daadwerkelijk invoeren in de praktijk. In het verleden
hield de arbeidsinspectie toezicht op de gemeenten en regio's
met een duikend brandweerkorps, maar dat ging in de vorm
van onderzoek naar arbeidsongevallen en incidenten. Deze
resultaten werden in eerste instantie alleen teruggekoppeld
naar de betrokken werkgevers en pas na een duikongeval in
Urk in 2007 heeft de inspectie besloten om de onderzoeksbe-
vindingen openbaar te maken.

BRAND PASSAGIERSSCHIP

Na een brand op een passagiersschip op het Amsterdam-
Rijnkanaal is er indertijd nader onderzoek gedaan naar de
brandveiligheid aan boord van dergelijke passagiersschepen
in de binnenvaart. Deze schepen varen niet alleen met een
relatief groot aantal, veelal kwetsbare en minder valide passagiers aan boord, maar ook kennen de oudere passagiersssche-
pen overgangsregelingen, waardoor zij nog lange tijd niet
hoeven te voldoen aan de technische brandveiligheidseisen,
waaraan de nieuwe schepen wel zijn onderworpen. Op
grond van een Europese regeling bestaat er voor de oudere
schepen een overgangsperiode die tot 2045 kan duren. Nu
deze regeling de oudere schepen langdurig vrijstelt van het
aanbrengen van de nieuwe noodzakelijke technische brand-
veiligheidsvoorzieningen, zou je naar ons oordeel mogen
verwachten dat aan de organisatie van de (brand)veiligheid
'extra' aandacht werd geschonken.

Uit het onderzoek is echter gebleken dat de eigenaar, de
schipper en de bemanning zich onvoldoende bewust waren
van de (mogelijk) beperkte zelfredzaamheid van de passagiers. In deze sector ligt de nadruk op het creëren van een

aangenaam en comfortabel verblijf aan boord, brandveiligheid heeft daarbij vaak geen en zeker geen extra aandacht
gekregen.

Volgens de huidige nautische wetgeving wordt van de
eigenaar, schipper en bemanning verwacht dat zij hun eigen
verantwoordelijkheid nakomen met betrekking tot de te
beheersen risico's aan boord. In geval van brand aan boord
worden verschillende operationele eisen gesteld aan de veiligheidsorganisatie: het opleiden, instrueren en oefenen bij
alarmering, brandbestrijding, hulpverlening en evacuatie.
Dat deze eigen verantwoordelijkheid bij de oudere schepen
minimaal werd ingevuld, moge blijken uit de voorbeelden
die tijdens het onderzoek zijn gevonden.

In geval van calamiteiten is het uitgangspunt dat aan de
wal of kade afgemeerd kan worden. In werkelijkheid is er, als
men vaart, vaak geen enkele aanlegmogelijkheid om (tijdig)
af te meren. Een risico dat veelal niet werd onderkend. Veel
schepen beschikken niet over een veilige adequate verzamel-
plaats, waar men in geval van brand zich gedurende enige
tijd veilig kan ophouden. In een dergelijk geval is evacuatie
van een eventueel niet afgemeerd schip de meest reële optie.
Bij een dergelijke evacuatie bleek onvoldoende rekening te
worden gehouden met de problemen die met een ontsche-
ping samenhangen, met name als gevolg van de beperkte
mobiliteit van een gedeelte van de passagiers. Bij de hotelpas-
sagiersschepen zijn de reddingsvesten meestal opgeslagen in
de hutten van de passagiers en de bemanningsleden. Als door
brand en rookontwikkeling deze hutten onbereikbaar worden, kunnen de passagiers en de bemanningsleden niet meer
worden voorzien van (extra) reddingsvesten. Ook groeps-
reddingsmiddelen, zoals reddingsvlotten, zijn slechts voorgeschreven voor ruim water, maar binnenwateren kunnen
vaak zeer breed zijn en daardoor soms onbereikbaar voor de
hulpdiensten.

Zulke problemen bleken in het onderzoek niet te worden
onderkend.

De Inspectie Verkeer en Waterstaat heeft de formele rol van toezichthouder, waarbij de inspecties zich veelal eenzijdig leken te richten op de geldende technische vereisten, waardoor de evenzeer geldende vereisten met betrekking tot de veiligheidsorganisatie vaak onderbelicht bleven. Ook ontbraken uniforme standaards voor inspecties. De expertise op het gebied van brandpreventie, waarover de brandweer vanzelfsprekend beschikt, werd niet of nauwelijks door de Inspectie Verkeer en Waterstaat gebruikt.

UMC ST RADBOUD

In september 2005 kwam een abnormale sterfte in de openbaarheid toen een interne e-mail van een hoogleraar van het UMC St Radboud uitlekte. Deze specialist liet weten dat hij zich niet in zijn eigen ziekenhuis zou willen laten opereren. In eerste instantie startte het UMC St Radboud een intern onderzoek. Op 7 april 2006 werden de uitkomsten hiervan bekendgemaakt.

In zeven gevallen was sprake geweest van mogelijk vermijdbare sterfte. Voor het overige werden geen aanwijzingen gevonden dat het medisch handelen had bijgedragen aan het overlijden. Deze resultaten waren voor het ziekenhuis geen reden aan te nemen dat sprake was geweest van ernstige tekortkomingen in de geleverde zorg aan de individuele patiënt.

De Inspectie voor de Gezondheidszorg (IGZ) stelde een onderzoek in, constateerde een te hoge sterfte in vergelijking met andere hartcentra, sprak van een 'onvolledig zorgproces' en gaf bevel tot sluiting van de afdeling Hartchirurgie.

Het onderzoek van de IGZ signaleerde bestuurlijke knelpunten, in het bijzonder een leiderschapsprobleem en het ontbreken van een proactieve benadering. Het onderzoek ging niet nader in op de bestuurlijke verantwoordelijkheden voor het medische proces en het toezicht daarop. Het gaf geen antwoord op de vraag wat de verantwoordelijken op verschillende niveaus door de jaren heen hadden ondernomen om heringrepen en de verhoogde sterfte voor te zijn. De Onderzoeksraad acht juist de beantwoording van deze vragen essentieel voor de patiëntveiligheid.

Uit het onderzoek van de Inspectie bleek dat de betrokken hartspecialisten zich er niet van bewust waren dat hun prestaties onvoldoende waren. Zij registreerden veel gegevens, maar vergeleken zichzelf niet met andere ziekenhuizen of maatstaven. Bovendien meenden de specialisten dat het bij sterfgevallen ging om patiënten met een hoog risicoprofiel, wat een hoog cijfer voor sterfgevallen en complicaties zou verklaren. Het omgekeerde was echter het geval: de patiëntenpopulatie behoorde gemiddeld eerder tot de lage dan tot de hoge risicoklassen.

Uit het onderzoek van de Onderzoeksraad bleek dat binnen het ziekenhuis wel bekend was dat er spanningen waren bij de hartchirurgische zorg, maar dat deze werden gezien als organisatieproblemen. Er werd geen relatie gelegd met de kwaliteit van de zorg. Ook na het onderzoek van de IGZ werd niet algemeen onderkend dat de onrust op het gebied van leiderschap, salariëring en samenwerking, en het ontbreken van eindverantwoordelijkheid voor de zorgketen als geheel, invloed konden hebben op de kwaliteit van de hartchirurgische zorg. De specialisten waren meer georiënteerd op hun individuele handelen ten aanzien van de patiënt dan op hun samenwerking in de keten.

De verantwoordelijkheid voor de veiligheid van de patiënt werd beschouwd als het domein van de medisch specialisten, waar anderen, zoals bestuurders, zich niet mee bezighielden. De Raad van Bestuur veronderstelde een kwaliteitsbesef bij de medische staf en had als standpunt dat het leren van fouten een zaak was van de medici zelf. Bestuurders gingen niet na of dat ook werkelijk gebeurde.

De wetgever heeft met de invoering van de Kwaliteitswet zorginstellingen (1996) beoogd dat er, wanneer professionele beroepsbeoefenaren in de zorg er niet in slagen die zorg 'verantwoord' te laten zijn, in het ziekenhuis voldoende correctiemechanismen zijn om die situatie te veranderen. De Raad van Bestuur besteedde ten aanzien van de hartchirurgie onvoldoende aandacht aan die kernactiviteit van de organisatie: het verlenen van verantwoorde zorg.

Binnen de beroepsgroep van medisch specialisten bestaan correctiemechanismen, zoals de herregistratie van artsen en de visitatie van de opleiding. Maar deze hadden geen betrekking op de kwaliteit van de geleverde medische zorg op de afdeling Hartchirurgie. Andere activiteiten die in het ziekenhuis plaatsvonden, zoals interne meldingen van incidenten met patiëntenzorg, hadden wel elementen van veiligheidszorg in zich. Maar de problemen bij de hartchirurgie kwamen daarbij niet aan het licht, de risico's van de medische zorg werden door dit systeem niet beheerst.

Het UMC St Radboud liep voorop met de kwaliteitsaccreditatie, maar dat kwaliteitssysteem had nog geen betrekking op de medische zorg.

Daarnaast moet helaas worden vastgesteld dat het overheidstoezicht door de Inspectie voor de Gezondheidszorg niet kon functioneren als correctiemechanisme. De wetgeving geeft veel ruimte voor eigen verantwoordelijkheid aan de zorginstellingen zelf. Dat lijkt de Onderzoeksraad juist, maar vervolgens is het wel van belang dat de ruimte die de wet laat aan de instelling ook daadwerkelijk wordt benut. Het externe toezicht door de overheid is het sluitstuk en zou erop moeten toezien dat deze invulling van de eigen verantwoordelijkheid ook daadwerkelijk tot stand komt.

Het huidige toezicht, zoals uitgevoerd door de IGZ, is daar nog ver van verwijderd. Het onderzoek heeft laten zien dat de IGZ ten aanzien van het UMC St Radboud overwegend werkte vanuit een reactieve opstelling. Voor haar optreden bleek zij vrijwel geheel afhankelijk van de informatie die werd verstrekt door de instelling zelf.

Evenals in eerdere onderzoeken stelt de Raad vast dat op het gebied van veiligheid ook in deze sector een kloof bestaat tussen enerzijds de verantwoordelijkheid van de overheid (wet- en regelgeving en toezicht) en anderzijds de eigen verantwoordelijkheid van de organisatie zelf.

TURKISH AIRLINES

Ook bij het zeer ernstige luchtvaartongeval met de Boeing 737-800 van Turkish Airlines speelde onvoldoende aandacht voor risicomanagement een essentiële rol.

Tijdens de nadering van Schiphol Airport gaf het linkerradiohoogtemetersysteem plotseling een foutieve hoogte aan van -8 voet. Dit was te zien op het linker-*flight display* van de gezagvoerder. Het vliegtuig werd echter gevlogen door de eerste officier, die rechts zat. Op zijn flight display en op zijn rechterradiohoogtemeter werden de juiste gegevens weergegeven. Maar de linkerradiohoogtemeter beschouwde de foutieve hoogte als een correcte waarde. De handboeken aan boord bevatten geen procedures voor storingen met hoogtemeters. De bemanning wist niet dat de *autothrottle* (de gashendel), net als de andere vliegtuigsystemen, in beginsel gebruikmaken van het linkerradiohoogtemetersysteem.

De foutieve waarde werd door de diverse vliegtuigsystemen als uitgangspunt genomen. Dit had tot gevolg dat de stuwkracht van beide motoren door de autothrottle direct tot een minimale waarde werd teruggebracht wat (niet direct, maar uiteindelijk) een te grote snelheidsafname veroorzaakte. Doordat men niet reageerde op een aantal waarschuwingen voor die snelheidsafname en daarbij de voorgeschreven herstelprocedure bij te lage snelheden niet correct uitvoerde, is het vliegtuig overtrokken en neergestort.

De Onderzoeksraad was indertijd van oordeel dat de informatie over het feit dat de diverse vliegtuigsystemen de linkerradiohoogtemeter als uitgangspunt nemen gecommuniceerd had moeten worden met de gebruikers en de piloten. Het falen van radiohoogtemetersystemen in de Boeing 737-800 kende namelijk al een lange geschiedenis, niet alleen bij Turkish Airlines, maar ook bij andere luchtvaartmaatschappijen. Al vanaf 2001 was deze problematiek onder de aandacht van Boeing gebracht. Boeing was zich ook bewust van de mogelijke gevolgen van niet goed functionerende radiohoogtemetersystemen, maar beschouwde dat niet als een veiligheidsprobleem, omdat piloten voldoende waarschuwingen en aanwijzingen krijgen – zoals onder andere het zien van het snelheidsverlies – om tijdig te kunnen ingrijpen.

Boeing liet weten dat per jaar ongeveer 400 000 meldingen over technische problemen met vliegtuigen worden ontvangen. Tussen 2002 en 2008 was slechts een zeer beperkt aantal meldingen binnengekomen met betrekking tot problemen met de radiohoogtemeter. Ook uit de analyse van de vluchtdata bij Turkish Airlines is gebleken dat slechts een deel van de problemen met radiohoogtemeters door de piloten werd gemeld.

Voorafgaand aan de ongevalsvlucht hadden zich, bij ditzelfde vliegtuig, twee vergelijkbare incidenten voorgedaan. Die waren door de bemanningen niet gerapporteerd, omdat zij zich bij de terugvluchten niet opnieuw voordeden of op de grond niet reproduceerbaar bleken. Door deze gang van zaken is vanzelfsprekend luchtvaartmaatschappij noch vliegtuigfabrikant zich volledig bewust van het aantal ernstige voorvallen, met als gevolg dat Boeing ook niet in staat was om op dit gebied de juiste risicoanalyse te maken.

In dit geval kwam daarbij dat de piloten naar de mening van de Raad een doorstart hadden moeten maken. Het is standaard operationele procedure dat bij onvoldoende zicht, zoals hier het geval was, alle handelingen ter voorbereiding van de landing moeten zijn afgerond voordat het vliegtuig zich op 1000 voet hoogte bevindt. Als die voorbereidingen, waar het afwerken van de landingschecklist bij hoort, dan niet zijn afgerond – de nadering is dan zoals dat heet niet gestabiliseerd – moeten de piloten een doorstart maken. In het Turkish Airlinestoestel is het passeren van de 1000 voet wel door de bemanning afgeroepen, maar de landingschecklist was toen nog niet afgehandeld. Dit leidde niet tot een doorstart. Ook het passeren van 500 voet hoogte – de doorstarthoogte als het toestel niet gestabiliseerd is en het zicht wel goed – werd afgeroepen. Maar dit leidde opnieuw niet tot een doorstart, terwijl de landingschecklist toen nog steeds niet volledig was afgehandeld.

Voor een veilige vluchtuitvoering hadden de piloten zich aan de standaard operationele procedures moeten houden. Het is aannemelijk dat de gezagvoerder het doorzetten van de nadering onder de 1000 voet, en even later het passeren van de 500 voet, niet heeft gezien als een inbreuk op een veilige vluchtuitvoering. Maar hiermee kom je wel terecht bij de vraag: waarom zijn deze procedures indertijd dan zo geschreven?

Met betrekking tot het afwijken van voorgeschreven procedures wil ik hier ook nog vermelden dat de ICAO (de internationale burgerluchtvaartorganisatie) voorschrijft dat vliegtuigen het glijpad voor de eindnadering van onderaf moeten onderscheppen. Het glijpad is de ideale benaderingslijn voor een vliegtuig van een bepaalde afstand en hoogte naar het begin van de landingsbaan. De bediening van de vliegtuignavigatie is hiervoor ontworpen en geoptimaliseerd.

In dit geval had de bemanning echter van de verkeersleiding de opdracht gekregen om 'verkort' in te draaien en gelet op het gegeven dat een vlieghoogte van 2000 voet moest worden aangehouden, leidde dit ertoe dat het glijpad voor de eindnadering niet van onder, maar van boven werd onderschept. Door deze gang van zaken viel het minder op dat de gashendels teruggingen naar de stationairstand: het vliegtuig moest immers snelheid verliezen en 'extra' dalen om het glijpad alsnog te kunnen onderscheppen.

Deze manier van naderen is op zichzelf niet onveilig, maar het moet de piloten worden 'aangeboden', zodat zij zich bewust zijn van de kortere indraai. Zij moeten de gelegenheid krijgen om te dalen om het glijpad alsnog van onder te kunnen onderscheppen. Een nadering als die van de vlucht van Turkish Airlines komt in meer dan de helft van de gevallen voor op deze baan.

Luchtverkeersleiding Nederland beschouwde deze gang van zaken als normaal en gaf te kennen dat er de afgelopen jaren geen signalen waren ontvangen dat deze werkwijze tot een verhoogd risico leidde. Deze zienswijze werd door de Raad niet gedeeld, omdat met een nadering van bovenaf meer handelingen moeten worden verricht in een korter tijdsbestek. Bovendien staat in de voorschriften Dienst Verkeersleiding vermeld dat het glijpad van onder dient te worden onderschept. Verkeersleiders dienen naar ons oordeel eenduidige instructies te krijgen en het op bovenstaande wijze interpreteren van de voorschriften is daarmee in tegenspraak.

Als blijkt dat voorschriften niet werkbaar zijn, dienen deze te worden herzien. Individuele interpretatie van voorschriften kan niet alleen tot verwarring, maar ook tot onnodige risico's leiden. Zeker als piloten van dag tot dag verschillende instructies ontvangen voor dezelfde procedures. Naar onze mening zou de toezichthouder, de Inspectie Verkeer en Waterstaat, dus ook moeten toetsen of verkeersleiders werken conform de interne voorschriften.

In het Twenteborgh Ziekenhuis brak tijdens een operatie brand uit in de anesthesieapparatuur. De patiënt kon niet meer kon worden gered en is als gevolg van de brand overleden.

De Raad vond dit een ingrijpende gebeurtenis, die in de samenleving veel vragen heeft opgeroepen. De Kwaliteitswet zorginstellingen verplicht een ziekenhuis immers om verantwoorde zorg te bieden. Dit impliceert dat de omgeving van de patiënten veilig moet zijn.

Het ziekenhuis had de anesthesiependel in 1985 gekocht van de fabrikant Dräger Medical Netherlands B.V. Het ziekenhuis was dus eigenaar en gebruiker van de anesthesiependel en daarmee verantwoordelijk voor het uitvoeren van onderhoud. Het ziekenhuis had er echter voor gekozen om het onderhoud uit te besteden aan Dräger. Dit bedrijf onderhield de pendel van 1986 tot eind 2002, een periode van zeventien jaar. Volgens de onderhoudsspecificaties van Dräger zelf dienen de zuurstofslangen in de pendel na twaalf jaar vervangen te worden, in dit geval dus in 1997. Maar Dräger heeft dit niet gedaan. Het bedrijf heeft het onderhoud aan de pendel uitgevoerd en deze jaarlijks goedgekeurd zonder de slangen te vervangen.

Dräger heeft het ziekenhuis naar eigen zeggen diverse keren gewezen op de noodzaak de verouderde slangen te vervangen, maar het ziekenhuis zou hiervoor geen toestemming hebben gegeven. Het ziekenhuis ontkent ooit over deze kwestie te zijn aangesproken.

De werkelijke gang van zaken kon door de Raad niet worden achterhaald, maar vaststaat dat Dräger zijn eigen voorschrift heeft overschreden en de pendel tussen 1997 en 2002 nooit had mogen goedkeuren. Dit klemt des te meer daar Dräger, wellicht als enige, op de hoogte was van de risico's van de betreffende apparatuur.

Eind 2002 besloot het ziekenhuis vrij abrupt het onderhoud voortaan zelf te gaan uitvoeren. Dräger heeft de onderhoudsspecificaties hierop niet aan het ziekenhuis afgegeven, wat niet in lijn is met de Europese regelgeving, die sinds 1995 voorschrijft dat dit soort zaken afgegeven moet worden.

Zeer zorgelijk was ook dat Dräger de Raad liet weten dat het niet afgeven van onderhoudsspecificaties *common practice* is. Het ziekenhuis heeft de pendel, door gebrek aan informatie hieromtrent, in onderhoud gegeven bij de afdeling Vastgoed & Instandhouding in plaats van de afdeling Medische Instrumenten, die het onderhoud van medische apparatuur in het ziekenhuis normaal gesproken voor zijn rekening neemt.

JEUGDZORG

In Nederland overlijden ieder jaar tientallen kinderen als gevolg van mishandeling door (een van) hun ouders. En het aantal kinderen van wie bekend is dat ze zijn overleden door mishandeling is waarschijnlijk slechts het topje van een ijsberg, omdat tot voor kort niet alle sterfgevallen werden onderzocht.

De Onderzoeksraad heeft hiernaar onderzoek gedaan, omdat het overlijden van kinderen door toedoen of nalatigheid van hun ouders een ernstige maatschappelijke zorg is. Jonge kinderen behoren immers tot de meest kwetsbaren van onze samenleving. Zij kunnen zichzelf niet beschermen. Omdat het waarborgen van veiligheid volgens de Raad begint met een goede risico-inventarisatie, is vooral gekeken naar de wijze waarop de overheid de risico's op dit terrein in kaart brengt.

Van oudsher werd de opvoeding, en daarmee de fysieke veiligheid van kinderen, gezien als het exclusieve domein van de ouders. Maar sinds het begin van de twintigste eeuw is het inzicht gegroeid dat de overheid ook een verantwoordelijkheid heeft, wanneer de ouders de veiligheid van hun kind niet kunnen waarborgen.

In de loop van de afgelopen eeuw zijn het recht van kinderen op een veilige leefomgeving en de verantwoordelijkheid van de overheid daarvoor verankerd in wetgeving en internationale verdragen. Dit geldt als algemeen geaccepteerde maatschappelijke norm. Met name in het Verdrag inzake de Rechten van het Kind is in 1989 expliciet vastgelegd dat de overheid tot taak heeft kinderen veiligheid te bieden wanneer de ouders dat niet of niet toereikend doen.

Nederland heeft dat verdrag geratificeerd in 1995. Volgens deskundigen heeft dit lange tijdsverloop onder meer te maken met onze terughoudendheid ten aanzien van overheidsbemoeienis met kinderen in gezinnen.

Als een kind in een fysiek onveilige situatie verkeert en de overheid daarover een melding krijgt, is de veiligheid van het kind dus niet meer uitsluitend de verantwoordelijkheid van de ouders, maar ook die van de overheid. De verantwoordelijkheid die de overheid dan krijgt, wordt ingevuld door uiteenlopende instellingen en professionals. Zij handelen dan dus namens de overheid.

Kinderen overlijden ook wanneer professionals al hulp verlenen aan hun gezin. Bij verschillende voorvallen met fatale afloop waren de afgelopen jaren uiteenlopende professionals betrokken. De Onderzoeksraad acht het uiterst zorgelijk dat kinderen overlijden in dit soort situaties, juist ook wanneer er een melding is geweest en de overheid verantwoordelijkheid draagt.

Uit het onderzoek van de Raad bleek dat de professionals, die namens de overheid een risico-inventarisatie en -evaluatie moeten maken, over het algemeen uitermate terughoudend zijn met het overnemen van de verantwoordelijkheid van de ouders. De overheid beschikt over instrumenten om de verantwoordelijkheid van de ouders, al dan niet tijdelijk, terzijde te schuiven: een (voorlopige) ondertoezichtstelling, een (tijdelijke) ontheffing uit het ouderlijk gezag. Deze instrumenten werden bij de door de Onderzoeksraad bestudeerde voorvallen niet of onvoldoende toegepast, dat gebeurde vaak pas nadat (bijna) fataal letsel was toegebracht.

Doordat hulpverleners terughoudend zijn met het gebruik van de instrumenten die het gezag van ouders tijdelijk beperken, hebben zij onvoldoende toegang tot alle informatie die nodig is om een volledige risico-inventarisatie en -evaluatie van het jonge kind te kunnen maken.

Zij zijn voor informatie over deze kinderen ook afhankelijk van medewerking van andere professionals, zoals artsen en ggz-medewerkers. Hierbij moet worden bedacht dat het meestal gaat om multiprobleemgezinnen, waarbij een groot aantal hulpverleners is betrokken, voor zowel de ouder als het kind. Deze mensen zijn niet verplicht de informatie over het kind en de gezinsleden te delen: zij zijn alleen verschoond van hun geheimhoudingsplicht. Dit betekent dat zij een eigen afweging mogen maken over het doorbreken hiervan. Het blijkt regelmatig voor te komen dat zij informatie die relevant is voor de fysieke veiligheid van het kind, niet delen. In die gevallen kunnen de professionals van Bureau Jeugdzorg en de Raad voor de Kinderbescherming dus geen volledige risico-inventarisatie maken.

Deze conclusie geldt niet alleen voordat een maatregel van kinderbescherming is genomen, maar ook als al een maatregel van kracht is. De professionals beschikken evenmin over informatie van eerdere gevallen van (fysieke) onveiligheid in hetzelfde gezin.

Het is op zich natuurlijk hoogst merkwaardig dat de professionals zich nooit hebben beklaagd over deze gebrekkige mogelijkheden met betrekking tot het opstellen van een grondige risico-inventarisatie.

De overheid heeft gekozen voor het tuchtrecht als middel

om de professionaliteit van de medewerkers in de jeugdzorg verder vorm te geven. Maar het tuchtrecht is naar onze mening geen geschikt instrument, omdat het gericht is op individueel disfunctioneren. De omringende professionals en de instellingen blijven buiten beeld.

Naar ons oordeel is de overheid verantwoordelijk voor de fysieke veiligheid van kinderen wanneer blijkt dat hun ouders die bedreigen. De overheid dient er dan ook voor te zorgen dat zij deze verantwoordelijkheid in de praktijk kan realiseren. Dit was naar onze mening bij het uitbrengen van het onderzoeksrapport in december 2010 nog niet het geval.

APACHE

Van een gebrekkige risico-inventarisatie was ook sprake bij een nachtvliegoefening, waarbij een Apache-helikopter van de Koninklijke Luchtmacht boven de Waal in aanvaring kwam met een hoogspanningsleiding. Hierdoor zijn de hoogspanningskabels gebroken en kwam een deel van de Bommelerwaard en het Land van Maas en Waal bijna vijftig uur zonder stroom te zitten. Circa 30 000 huishoudens en 7000 bedrijven werden hierdoor getroffen. De helikopter was ernstig beschadigd, maar de bemanning wist hem desondanks ten zuiden van de Maas aan de grond te zetten.

Het vliegen op (zeer) lage hoogte is een van de risicovolste activiteiten bij het vliegen in vredestijd. Naast de normale risico's die aan vliegen zijn verbonden, wordt dan een extra gevaarlijke dimensie toegevoegd: obstakels die hoger oprijzen dan de vlieghoogte en die soms nauwelijks, of pas in een zeer laat stadium zichtbaar zijn, zoals hoogspanningskabels. Als dit laagvliegen bij donker plaatsvindt, wordt het risico des te groter, zelfs bij een helikopter die is uitgerust met allerlei sensoren. Dit risico van laagvliegen moet zijn weerslag vinden in een zeer gedegen en zorgvuldige vluchtvoorbereiding en uitvoering.

De bemanning had een uur en drie kwartier de tijd voor de missieplanning. Voor een trainingsvlucht wordt dit voldoende geacht. Dit betekent echter wel dat die tijd optimaal moet worden benut. Uit het onderzoek van de Raad is gebleken dat de voorbereiding niet toereikend en niet zorgvuldig genoeg was.

Om te beginnen zijn de navigatiekaarten voor de vlucht door de navigatiesectie van het squadron ingetekend en voorbereid, en niet door de piloten zelf. Op zich hoeft dit geen bezwaar te zijn, het is een standaardprocedure, maar het voorbereiden van de route op de kaarten helpt een piloot risico's te identificeren en vormt zo een onderdeel van de noodzakelijke voorbereiding. Door de al ingetekende kaarten zorgvuldig te bestuderen en op de kaart de route voor te verkennen, zijn de piloten op de hoogte van markante punten en mogelijke obstakels en kunnen die worden ingevoerd in het navigatiesysteem. Ook kan voor elk obstakel een zogenaamd opstijg- en afdaalpunt worden bepaald. Daarnaast moet het laagvlieggedeelte van een vlucht zo uitgebreid als nodig is worden doorgesproken (gebrieft).

Gebleken is dat voorafgaand aan de vlucht beperkte aandacht is geweest voor kaartstudie en routeverkenning. Als die er wel was geweest, was de kans vergroot dat de hoogspanningskabels, die immers de te vliegen route kruisten, waren opgemerkt en dat passende maatregelen waren genomen om een draadaanvaring te voorkomen. De vluchtvoorbereiding is wel afgerond met een crewbriefing. Uit onderzoek is gebleken dat die drie minuten heeft geduurd. Gegeven het risico wordt een dergelijke briefing, in combinatie met de wijze waarop invulling is gegeven aan de voorbereidingstaken, als onvoldoende gekwalificeerd.

De Apache-bemanningen zijn door de operaties in Afghanistan gewend aan zeer korte voorbereidingstijden. Het is evident dat er, ook als beperkt tijd ter beschikking is om een vlucht voor te bereiden, een gedegen risico-inventarisatie moet worden gemaakt om de veiligheid te garanderen. Het hoort, zeker in vredestijd bij trainingsvluchten, tot de eigen verantwoordelijkheid van elke piloot om kenbaar te maken als de omstandigheden voor een goede vluchtuitvoering feitelijk niet adequaat of onvoldoende zijn. Als het een vliegtuigcommandant betreft, dienen hier ook consequenties aan verbonden te worden. Hij bepaalt uiteindelijk of hij vertrekt met een vliegtuig.

Verwacht mag worden dat de verschillende verantwoordelijkheden ten aanzien van de vluchtvoorbereiding goed worden uitgeoefend. Dit is in dit geval niet in voldoende mate gebeurd.

Verontrustend is dat in de afgelopen jaren bij Defensie meerdere voorvallen met helikopters hebben plaatsgevonden, waarbij de hiervoor genoemde factoren eveneens een rol hebben gespeeld.

Zo is in juli 2004 tijdens de uitzending in Afghanistan een AH-64D Apache-helikopter neergestort. Directe oorzaak van dit voorval was een miscommunicatie. Het betrof een relatief eenvoudige missie met een lage taakspanning. Juist dit was debet aan het onjuist overdragen van de besturing. De frontseater bekleedde tijdens de uitzending een dubbelfunctie, waardoor de supervisiestructuur onder druk kwam te staan.

In oktober 2005 verongelukte in Afghanistan een CH-47D Chinook, tijdens een transportvlucht waarbij van de geplande route werd afgeweken. De piloten hadden onvoldoende aandacht besteed aan de voorbereiding van de vlucht om te voorzien wat de gevolgen konden zijn van die afwijkende route. De vlucht werd beschouwd als een routinevlucht. Het vertrouwen van de bemanning in de gezagvoerder, een ervaren bergvlieginstructeur, en de technische mogelijkheden van de helikopter hebben ook hier geleid tot een passievere houding dan gewenst. Daarnaast functioneerde ook hier de gezagvoerder tevens als autoriserende instantie (hij was hoofd Operaties en detachementscommandant), wat de supervisiestructuur aantast als hij zelf gaat vliegen.

Bij Defensie is sprake van zelfregulering. Er is weinig tot geen direct extern toezicht. Veiligheid is grotendeels een interne aangelegenheid. Dit betekent dat op alle betrokken defensieonderdelen de grote verantwoordelijkheid rust niet alleen invulling te geven aan die eigen verantwoordelijkheid, maar ook om hierop zelf toezicht te houden.

DE FRISIA

Op maandagavond 13 december 2010 was de schelpenzuiger Frisia klaar met de winning van schelpen op de Gronden van Stortemelk, een gebied ten noorden van het zeegat tussen Vlieland en Terschelling. De schipper meldde zijn werkzaamheden af bij de verkeerspost Brandaris op Terschelling, vroeg naar de actuele weersomstandigheden en vertelde dat hij op weg ging naar Lauwersoog, boven Terschelling langs.

Ondanks het advies van een collega-schipper om deze reis vanwege de weersomstandigheden niet te maken, voer de Frisia toch richting de beoogde loshaven. De schipper vertelde zijn bezorgde collega dat hij, zoals afgesproken met de rederij, wilde proberen de volgende morgen in Lauwersoog de schelpen te lossen. Omdat ijsgang de doorvaart van de kanalen in Friesland belemmerde, kon de schipper zich alleen aan deze afspraak houden door buitenlangs om de Waddeneilanden te varen. Het was koud en men voer tegen windkracht 5 tot 6 in, met golven van anderhalf tot twee meter hoog.

De volgende morgen rond 4.10 uur nam de schipper van de Frisia opnieuw contact op met de Brandaris. Het schip had veel water gemaakt en hij wilde graag een extra pomp om het water uit het ruim te kunnen krijgen. Tien minuten later nam hij nogmaals contact op, duidelijk minder rustig nu, om te zeggen dat hij bang was dat het schip zou zinken. Hierop werd onmiddellijk een Search and Rescue-operatie gestart. Kort na 4.30 uur kapseisde het schip en verdween het van de radar.

Alle drie bemanningsleden kwamen als gevolg hiervan om. Een van hen raakte bij het plotselinge kapseizen verstrikt en werd met het schip mee onder water getrokken. De andere twee raakten te water. Een van hen kon nog door het toegesnelde baggerschip Ostsee uit zee worden gehaald, maar hij overleed enkele dagen later alsnog aan de gevolgen van onderkoeling. De andere drenkeling werd nog wel even gezien door de bemanning van de Ostsee, maar is in de golven en het donker uit het oog verloren. De volgende nacht spoelde zijn lichaam aan op het strand van Terschelling.

De schipper heeft de verkeerde beslissing genomen door onder de heersende weersomstandigheden toch naar de loshaven te vertrekken. Kennelijk wilde hij zijn afspraak met de rederij om op dinsdagochtend te lossen in Lauwersoog nakomen, ondanks het ongunstige weer en de waarschuwing van een ervaren collega-schipper.

Gezien de nog korte en tijdelijke arbeidsrelatie die bestond tussen de schipper en de rederij acht de Raad het niet uitgesloten dat druk een rol heeft gespeeld bij de afweging van de schipper om niet terug te keren naar Harlingen om daar beter weer af te wachten, of binnendoor naar Lauwersoog te varen. Toen het schip eenmaal buitenom naar Lauwersoog voer, was deze haven in feite ook geen reëel alternatief meer. Dit vaargebied wordt namelijk gekenmerkt door ondiepten, een korte golfslag en nauwe doorgangen. Als het schip al zo ver was aangekomen, hadden deze zaken waarschijnlijk ook problemen opgeleverd.

De Frisia was gecertificeerd als vissersvaartuig. De eisen ten aanzien van de technische uitrusting en de stabiliteit van het schip werden daarom bepaald door de visserijwetgeving. Voor de stabiliteit van het schip maakte dit niet uit: als het schip als koopvaardijschip was gecertificeerd, waren dezelfde stabiliteitscriteria van toepassing geweest. De omstandigheden tijdens het ongeval zouden ook dan tot gebrek aan stabiliteit hebben geleid. Opvallend is wel dat de specifiek op schelpenzuigers toegespitste regelgeving toeliet dat het schip met een enkelvoudig lenspompsysteem voor het ruim de zee op ging.

De certificering als vissersvaartuig was wel van invloed op de bemanningseisen. De wetgeving voor de visserij is versnipperd en vereist niet dat iedere matroos een veiligheidstraining heeft gevolgd. Dit in tegenstelling tot de regels voor de koopvaardij.

Het ministerie van Infrastructuur en Milieu is verantwoordelijk voor zowel ontgrondingen, waar schelpenwinning onder valt, als de scheepsveiligheid. Het toezicht op de naleving en de uitvoering van het beleid is binnen het ministerie respectievelijk belegd bij de onderdelen Rijkswaterstaat (schelpenwinning) en de Inspectie Verkeer en Waterstaat (scheepsveiligheid).

Rijkswaterstaat verleende vergunningen voor de schelpenwinning alleen op basis van financiële overwegingen. Men stelde geen eisen aan de veiligheid van de schepen of enige vorm van veiligheidsmanagement. De eis dat de vergunninghouder over een goedgekeurd schelpenwinvaartuig diende te beschikken, werd niet geverifieerd. Rijkswaterstaat registreerde de inzet van de Frisia ten behoeve van de financiële afwikkeling, maar deed verder niets met de informatie dat de Frisia eigenlijk een visserijschip was, dat in de praktijk werd ingezet voor ontgrondingsactiviteiten.

Door falend toezicht van de Inspectie Verkeer en Waterstaat (ivw) op de scheepsveiligheid van de Frisia konden omstandigheden ontstaan waarin de rederij zijn eigen gang kon gaan. ivw heeft tijdens haar inspecties wel geconstateerd dat het schip en de bemanning niet voldeden aan de eisen, maar trad niet doeltreffend op. Een door IVW opgelegd vaarverbod in verband met het varen zonder bevoegde schipper werd eerst door de rederij genegeerd en daarna weer door IVW opgeheven, zonder dat daadwerkelijk iets aan de bevoegdheid van de schipper was veranderd.

Het is bij IVW bekend dat de naleving van wettelijke bepalingen in de visserijsector niet altijd de hoogste prioriteit heeft en dat de sector, de goede reders en schippers niet te na gesproken, de zorg voor de veiligheid liever aan IVW overlaat dan deze zelf voor zijn rekening te nemen.

Uit de gedragingen van de rederij van de Frisia blijkt dat deze hierop geen uitzondering vormde en de wet bewust overtrad als dat beter uitkwam. Het is in deze context opmerkelijk hoe IVW de rederij tegemoetkwam in plaats van strenger op te treden of deze te wijzen op de eigen verantwoordelijkheid. Ondanks het ontbreken van essentiële informatie ontving de rederij een definitieve certificering van de Frisia. Hierbij schoof IVW de eigen procedures terzijde.

Doordat tekortkomingen werden genegeerd, kon het schip zijn uitgerust met een pomp die onvoldoende capaciteit had voor een schelpenzuiger. De pompcapaciteit werd niet gecontroleerd of zelfs maar opgevraagd voordat IVW het schip certificeerde. Bovendien is uit het onderzoek gebleken dat IVW aannam dat er een veel kleinere hoeveelheid water tussen de schelpen past dan proefondervindelijk is aangetoond. Deze hoeveelheid water bepaalt de capaciteit van de pomp die men nodig heeft.

Dit verklaart dat de bemanning de hoeveelheid water die het ruim in stroomde niet tijdig weggepompt kreeg. Omdat de waterloospoorten van het ruim ook nog eens dicht waren gemaakt, werd dit probleem alleen maar vergroot.

De Raad vindt het opvallend dat binnen het ministerie van Infrastructuur geen uitwisseling van informatie plaatsvond tussen Rijkswaterstaat en de Inspectie Verkeer en Waterstaat. Hierdoor kon het gebeuren dat een ongecertificeerd visserijschip met een onbevoegde schipper en een opgelegd vaarverbod ongehinderd op de schelpenwinvergunning van de ene dienst kon werken, terwijl de andere dienst dit juist had moeten voorkomen. Als de relevante informatie wel was uitgewisseld, hadden beide diensten, zelfs zonder daadwerkelijk aan boord te gaan, kunnen constateren dat de rederij zich onttrok aan de regelgeving.

TORENKRAAN

Schijnbaar zonder aanleiding bezweek op 10 juli 2008 aan de Prinsenlaan in Rotterdam een torenkraan naast een flat in aanbouw. De machinist, die op 96 meter hoogte in de kraan zat, kwam hierbij om het leven. In zijn val veroorzaakte de kraan een flinke ravage op het bouwterrein. Het mag een wonder heten dat er niet meer slachtoffers zijn gevallen op de bouwplaats of de nabijgelegen kinderspeelplaats.

Uit het onderzoek is gebleken dat het bezwijken van de torenkraan te wijten was aan een optelsom van tekortkomingen.

Allereerst was de flexibiliteit van mast en giek, de horizontale arm van de kraan, groter dan door de constructeur berekend. Hierdoor boog de kraan verder door dan gedacht. De loopkat, het wagentje op de giek waar de hijskabel aan hangt, liep daardoor van een helling naar beneden.

Vervolgens werd aan deze kraan op de dag van het ongeluk een zeer zware last gehesen. De loopkat bracht deze last langs de giek in positie. Omdat die naar beneden helde, vroeg dat extra vermogen van de motor die de loopkat bediende. De motor was hier niet alleen niet op berekend, maar ook nog eens onjuist ingesteld. Hierdoor leverde hij minder dan zijn maximale vermogen en werd de rem verkeerd gebruikt. Op dat moment ging het fout. De onbestuurbare loopkat reed de helling af naar het uiteinde van de giek. De last die eraan hing, werd te zwaar voor de kraan, die nog verder doorboog en bezweek.

Het onderzoek naar dit voorval leerde dat de tekortkomingen in het ontwerp van de kraan niet waren onderkend, waardoor zij niet konden worden aangepast. Het structureel zoeken naar tekortkomingen in de ontwerpfase is geen gemeengoed en voorvallen tijdens het gebruik zijn voor de fabrikant vaak onvoldoende aanleiding tot aanpassing van het ontwerp. Er is geen vangnet dat helpt tekortkomingen aan het licht te brengen, dus vergelijkbare dingen kunnen zich, ook bij andere fabrikanten en andere typen kranen, opnieuw voordoen.

Op torenkranen zijn Europese productierichtlijnen van toepassing. Die stellen algemene eisen aan producten. Specifieke eisen aan het veiligheidsniveau zijn uitgewerkt in normen. In navolging van de richtlijnen, stelt een fabrikant zelf vast welke normen op zijn product van toepassing zijn.

Als de fabrikant van mening is dat zijn product voldoet aan de richtlijnen en aan het veiligheidsniveau van de normen, legt hij dit vast in een verklaring, de EG-Verklaring van Overeenstemming. Daarin neemt de fabrikant ook op welke specifieke richtlijnen en normen en hij van toepassing verklaart op zijn product.

In het geval van torenkranen mag de fabrikant deze voorzien van een CE-markering. Dit is een logo met daarop de letters CE, die staan voor Conformité Européenne. Dat betekent dat de fabrikant aangeeft dat zijn product voldoet aan de productierichtlijnen en onderliggende eisen van de Europese regelgeving. De kraan hoeft hierbij niet door anderen op kwaliteit en veiligheid te worden getoetst. De fabrikant mag de torenkraan daarop vrij verhandelen in lidstaten van de Europese Unie, IJsland, Liechtenstein en Noorwegen. Deze landen mogen geen aanvullende eisen stellen aan de torenkraan.

De werkwijze is dus dat een fabrikant zelf kan verklaren dat zijn product voldoet aan de richtlijnen. Maar een fabrikant kan fouten maken in zijn ontwerp of in de beoordeling van zijn ontwerp. Hij kan minder accuraat zijn of onvoldoende kennis in huis hebben. Het kan zijn dat die fabrikant daardoor een onveilig product op de markt brengt, waar afnemers, gebruikers en anderen onterecht vertrouwen in stellen.

Dit blijkt ook uit het voorval in Rotterdam. In de EG-Verklaring van Overeenstemming benoemde de fabrikant de richtlijnen en normen die hij van toepassing achtte op zijn torenkranen. Maar een aantal van deze normen en richtlijnen was inmiddels vervangen door een nieuwere versie. Er was geen risicoanalyse van de torenkraan beschikbaar en uit het onderzoek van de Onderzoeksraad bleek dat de kraan niet voldeed aan de ontwerpcriteria die de fabrikant zelf hanteerde. De fabrikant had zijn EG-verklaring dus onterecht afgegeven.

In de periode voorafgaand aan het voorval in Rotterdam heeft zich een aantal keren een ernstige storing voorgedaan aan kranen van hetzelfde merk. Hierbij was de loopkat ongewild verder uitgereden dan de bedoeling was, wat een ernstige bedreiging vormt voor de stabiliteit van de torenkraan. De fabrikant heeft deze storingen telkens per kraan verholpen en afgedaan. Hij heeft geen maatregelen genomen aan andere kranen, hij heeft zijn ontwerp niet aangepast en hij heeft ook afnemers en gebruikers niet gewaarschuwd. Tot het uitlopen van de loopkat op 10 juli 2008 uiteindelijk leidde tot het bezwijken van een kraan.

Ook uit een voorval met een omgevallen torenkraan in Utrecht in 2007, en de rapportage daarover van de arbeidsinspectie, valt op te maken dat op signalen uit de praktijk niet altijd voldoende wordt gereageerd. De machinist had opgemerkt dat de kraan in ruststand niet altijd vanzelf met de wind mee ging staan. Met die waarneming, die als waarschuwing had kunnen dienen, is onvoldoende gedaan en de kraan is later mede door een te hoge windbelasting omgevallen.

Het bevreemdt de Onderzoeksraad dat signalen uit de praktijk niet altijd door gebruikers of fabrikanten worden opgepakt en niet met elkaar worden gedeeld. Juist in een markt waarin technologische ontwikkelingen elkaar zo snel opvolgen dat de kennisontwikkeling van individuele mensen daar bijna geen gelijke tred mee kan houden, zouden brancheorganisaties, keuringsinstanties en grote partijen een platform kunnen vormen om dergelijke bevindingen te delen. Zo'n platform kan functioneren als meldpunt voor ongevallen en bijna-ongevallen en zo een eerste vangnet zijn voor gesignaleerde tekortkomingen.

MAAGVERKLEINING

Als laatste voorbeeld van een te weinige kritische opstelling als het gaat om risicobeheersing noem ik de problemen rond maagverkleiningsoperaties in het Scheper Ziekenhuis in Emmen. In april 2009 verschenen de eerste berichten in de pers waarin werd gemeld dat in Emmen in relatief korte tijd een aantal patiënten na een maagverkleining was overleden.

In oktober van dat jaar maakte het Scheper Ziekenhuis de resultaten bekend van het eigen onderzoek naar de sterfgevallen. Dit onderzoek richtte zich op het handelen van de betrokken chirurg die, aldus het eindrapport, 'de hem door de ziekenhuisorganisatie geboden mogelijkheden niet voldoende heeft benut. Hij is er niet in geslaagd om het bariatrisch programma goed te organiseren en volgens duidelijke richtlijnen te werken.'

De betrokken chirurg heeft zich, mede naar aanleiding van dit onderzoek, laten uitschrijven uit het BIG-register, waar zorgverleners in geregistreerd moeten zijn om hun vak te mogen uitoefenen.

Onze aankomst bij de Universiteit Twente in april 2006 ter gelegenheid van mijn oratie. (Foto: ANP)

Oratie Universiteit Twente, 28 april 2006. (Foto's: ANP)

Start van het Kenniscentrum Risicomanagement en Veiligheid, september 2012.
(Foto: Universiteit Twente)

De heer drs. J. H. Pongers (Henk) kende al mijn toespraken bijna uit zijn hoofd en toch, dat was zo knap en aardig van hem, keek hij altijd alsof hij iets totaal nieuws hoorde. (Foto: J. H. Pongers)

Het afscheid van de Onderzoeksraad in 2011.
(Foto: ANP)

Het is de ervaring van de Onderzoeksraad dat ernstige incidenten zelden zijn terug te voeren op het handelen van één individu. Als zich een incident voordoet, betekent dit doorgaans dat ook het 'vangnet' rondom de betrokken persoon of personen heeft gefaald. De neiging om het overlijden van patiënten te wijten aan het falen van een individuele arts is begrijpelijk, omdat deze een grote eigen verantwoordelijkheid heeft. Maar een dergelijke benadering draagt het risico in zich dat in de organisatie rondom dit individu tekortkomingen blijven bestaan en daarmee de onveilige situatie.

Daarom richtte dit onderzoek van de Raad zich niet alleen op het handelen van de betrokken chirurg, maar omvat het alles wat relevant wordt geacht. Uitgangspunt is dat in een ziekenhuis de patiëntveiligheid een verantwoordelijkheid is van alle betrokkenen. Dat zijn niet alleen artsen en verplegend personeel, maar evenzeer degenen die als collega, leidinggevende of bestuurder de context bepalen waarin zij werkzaam zijn. Zij moeten allen gezamenlijk de risico's voor de patiënt zo goed mogelijk beheersen. Dat veronderstelt dat zij onderling duidelijke afspraken maken en elkaar erop aanspreken als de ander deze afspraken niet nakomt. Dat geldt ook voor partijen buiten het ziekenhuis, zoals de zorgverzekeraar en de inspectie.

In de gezondheidszorg vindt veelvuldig vernieuwing plaats. Het bariatrisch programma (behandeling tegen vetzucht) van het Scheper Ziekenhuis was daarvan een voorbeeld. Innovatie en het toepassen van nieuwe behandelwijzen zijn essentieel voor de ontwikkeling en de verbetering van de zorg, maar beheersing van de risico's is daarbij zo mogelijk nog belangrijker dan bij reguliere zorgprocessen.

Het onderzoek heeft uitgewezen dat de veiligheid van patiënten die bariatrische chirurgie ondergingen in het Scheper Ziekenhuis nauwelijks gewaarborgd was. Tot deze conclusie kwam de Onderzoeksraad op basis van de bevinding dat de introductie en verdere uitbreiding van de bariatrische chirurgie in het Scheper Ziekenhuis een niet beheerst proces was, waarvoor de verantwoordelijkheid in de praktijk bijna geheel bij één persoon kwam te liggen, zonder dat andere betrokken partijen hun eigen verantwoordelijkheid namen.

Na een enthousiaste start met de relatief eenvoudige maagbandingrepen nam het aantal en de complexiteit van de bariatrisch chirurgische ingrepen snel toe. Maar de essentiële randvoorwaarden hielden hier geen gelijke tred mee. Zicht op de bariatrische zorgprocessen, en de daarmee samenhangende risico's, ontbrak grotendeels. Zo ontstond een situatie waarin de zorgverleners gaandeweg steeds minder goed in staat waren om de patiëntveiligheid te waarborgen. Vier omstandigheden speelden daarbij een rol.

Ten eerste ontbrak het commitment voor de bariatrische chirurgie in het Scheper Ziekenhuis grotendeels. De chirurg, zijn collega-chirurgen, de leiding van de zorginstelling noch de zorgverzekeraar lijken voldoende te hebben onderkend dat iedere nieuwe ontwikkeling in het bariatrisch chirurgisch programma voor het ziekenhuis aanleiding had moeten zijn voor het formuleren van een gezamenlijke veiligheidsaanpak. De uitbreiding van de eerste, relatief eenvoudige operaties met steeds complexere ingrepen lijkt te zijn opgevat als een voortgang op een in het ziekenhuis gangbaar type operaties, waarvoor geen bijzondere voorbereiding nodig was. Hierdoor kon het gebeuren dat het ziekenhuis wel veel aandacht had voor de financiële aspecten en de kansen die dit zorgaanbod bood, maar de zorg voor de patiëntveiligheid bijna geheel werd overgelaten aan de betrokken chirurg.

Daarbij speelt dat de zorginstelling en de medisch specialisten elkaar niet aanspraken op de verwachtingen die zij van elkaar hadden. Beide partijen hadden een stringente opvatting van hun eigen verantwoordelijkheid en die van de ander. Daarin was voor een gezamenlijke benadering van de patiëntveiligheid geen plaats. Dit verklaart waarom de leiding van de zorginstelling signalen en klachten over de betrokken chirurg, net als de Vereniging Medische Staf en de collega-chirurgen, vooral zag als verbeterpunten voor hemzelf. Een verbetertraject voor het bariatrisch zorgproces als geheel werd pas gezamenlijk ingezet toen het eigenlijk al te laat was.

In de derde plaats bekommerden de medisch specialisten noch de leiding van de zorginstelling of de zorgverzekeraar zich om een systematische monitoring van de kwaliteit en de resultaten van het bariatrisch programma. Mede hierdoor werden de problemen niet tijdig zichtbaar. Het benutten van informatie als complicaties en ligduur is juist bij zorgvernieuwing een onmisbaar onderdeel van de veiligheidsaanpak. Het had inzicht geboden in de kwaliteit van de geleverde zorg en bijgedragen aan het herkennen van knelpunten.

Ten slotte lieten partijen de hierboven beschreven situatie voortbestaan. De zorgverzekeraar speelt hierin, als financier en 'gedelegeerd opdrachtgever' namens de patiënt, een belangrijke rol. Hij had kwaliteitsafspraken gemaakt met de instelling, maar liet na deze te handhaven. Bovendien bedong de zorgverzekeraar een prijs die geen recht deed aan het feit dat de bariatrische chirurgie nieuw was voor het Scheper Ziekenhuis.

De visitatiecommissie merkte de gebreken in de patiëntveiligheidszorg, waaronder het ontbreken van een adequate complicatieregistratie, niet op. De inspectie constateerde wel jaren achtereen de afwezigheid van een goede complicatieregistratie, maar dwong niet af dat het bestuur van het ziekenhuis, als verantwoordelijke partij, verbeteringen doorvoerde. Het is opmerkelijk dat de inspectie het veiligheidsmanagementsysteem dat het ziekenhuis aan het invoeren was, beoordeelde als relatief goed, terwijl een essentieel onderdeel als een goede complicatieregistratie ontbrak.

Kennelijk kan in een ziekenhuis inzake patiëntveiligheid langs elkaar heen worden gewerkt, ontbreekt het aan goede afspraken (en naleving van deze afspraken), en zijn discussies over kwaliteit toch nog vaak ondergeschikt aan discussies over financiën.

Hier onveilig? Onmogelijk!

Uit de in dit boek genoemde, maar evengoed uit vele andere onafhankelijke onderzoeken blijkt telkens weer dat organisaties weinig kritisch kunnen zijn over de risico's die zij zouden moeten beheersen. Hierbij doel ik niet op onbekende, maar vooral op bekende risico's die kunnen voortvloeien uit bijvoorbeeld het onderwerp brandveiligheid. Ook valt op dat de organisaties zich, als de risico-inventarisaties wel zorgvuldig zijn gemaakt, veelal op grond van economische motieven, gemakkelijk laten verleiden om zich niet aan de wettelijke regelgeving te houden. Dit laatste geldt helaas eens te meer voor de normen en richtlijnen van de sector zelf en voor gemaakte afspraken in de eigen organisatie.

Voor onze veiligheid is dit natuurlijk geen geruststellende constatering. Nog verontrustender vind ik eigenlijk dat de bestaande (overheids)inspecties of interne toezichtinstanties vaak niet in staat blijken om in dergelijke gevallen als correctiemechanisme of als vangnet te fungeren. En dan spreek ik niet over een incidentele overtreding, maar in de meeste gevallen over structurele tekortkomingen die voor toezichthouders of betrokkenen in de organisatie zelf ook geenszins een onbekend verschijnsel waren.

Natuurlijk kan men zeggen dat ik in de loop der tijd een zwartkijker of een doemdenker ben geworden, omdat alle voorvallen die wij hebben onderzocht behoren tot de categorie 'hoge uitzonderingen'. In de meeste gevallen gaat het toch allemaal prima?

Inderdaad gaat het in de meeste gevallen gelukkig allemaal goed of, liever gezegd, loopt het in de meeste gevallen goed af. Denk hierbij nog maar eens aan het vliegtuigongeval met Turkish Airlines, waarbij zich in de twee vluchten vóór de ongevalsvlucht identieke problemen hadden voorgedaan. Maar toen werden die problemen onderkend en door de verschillende bemanningen opgevangen.

De soms weinig kritische houding van organisaties of ondernemingen ten opzichte van het onderwerp veiligheid ofwel risicomanagement, met daarbij de gebrekkig functionerende correctiemechanismen, zowel intern als extern, vragen naar mijn mening eens te meer onze aandacht nu wij leven in het tijdperk van zelfregulering, het tijdperk van 'laat het aan de sector zelf over' en 'geen betutteling meer door de overheid, maar een overheid op afstand'! Daar heb ik zelf geen problemen mee, maar het is goed om in gedachten te houden dat het een taak van de overheid is en blijft om haar burgers te beschermen en te beveiligen. Deze overheidstaak is niet overdraagbaar en blijft voorbehouden aan de staat. Zo is dit ook in internationale verdragen vastgelegd.

Het gegeven dat deze taak niet overdraagbaar is, betekent niet dat de overheid bij het inhoud geven aan deze taakstelling geen derden zou mogen inschakelen. Maar de uitvoering van bepaalde beveiligingstaken dient dan wel onder de regie van de overheid plaats te vinden.

In dit licht past de fundamentele wijziging die in de veiligheidsfilosofie heeft plaatsgevonden volledig. Vroeger werd veiligheid beschouwd als een taak voor de overheid alleen, maar dit veranderde fundamenteel, zowel nationaal als internationaal, in de jaren tachtig van de vorige eeuw. Vanaf die tijd werd veiligheid voor het eerst een gedeelde verantwoordelijkheid. Het bleef weliswaar een kerntaak van de overheid, maar burgers, ondernemingen en organisaties werden nu medeverantwoordelijk gesteld.

Omdat het onderwerp veiligheid, ook binnen de overheid, van oudsher versnipperd en verkokerd is geweest, heeft deze nooit een eenduidige regie gevoerd – soms zelfs helemaal geen – over wat men nu eigenlijk zou mogen verwachten van die medeverantwoordelijkheid voor de veiligheid van burgers, ondernemingen of organisaties. Ook is nooit onderzocht of de omvang van de verantwoordelijkheid van de overheid en die van de burgers, ondernemingen of organisaties goed met elkaar in balans waren. Van meet af aan was sprake van onduidelijkheid tussen die beide verantwoordelijkheden. En deze onduidelijkheid wreekt zich vanzelfsprekend des te meer in een tijd van zelfregulering. Nogmaals, ik kan me heel goed vinden in de filosofie van 'laat de veiligheid aan de sector zelf over', maar dan dient dit laatste wel te geschieden onder het toezicht en de regie van de overheid, omdat het haar taak is om haar burgers te beschermen en te beveiligen.

Om die regievoering te kunnen realiseren is, blijf ik de mening toegedaan dat het voor de overheid van het allergrootste belang is om eenduidig en wettelijk, in hoofdlijnen of in beginselen, vast te leggen waaruit die medeverantwoordelijkheid voor veiligheid van ondernemingen en organisaties bestaat. Vanzelfsprekend geldt dit laatste evenzeer voor de burgers, maar dat vraagt om een andere aanpak. Voor het veiligheidsbeleid van organisaties en ondernemingen zou ik bijvoorbeeld wettelijk willen verankeren dat zij moeten beschikken over een goede risico-inventarisatie. Die moet niet alleen gebaseerd zijn op de vigerende wet- en regelgeving, maar ook op de normen en richtlijnen van de sector zelf, en daarnaast op de eigen ervaringen en de daaruit voortvloeiende eigen afspraken.

Deze beginselen *moeten* wettelijk worden verankerd, omdat de overheid, als veiligheidsregisseur, moet kunnen controleren of ook daadwerkelijk aan die eigen- of medeverantwoordelijkheid voor veiligheid inhoud wordt gegeven. Nu kan dat laatste door gebrek aan wettelijke regels in vele gevallen niet plaatsvinden.

Op mijn verzoek om te komen tot de invoering van een veiligheidsbeginselenwet antwoordde de minister van Justitie indertijd dat 'het kabinet geen toegevoegde waarde zag in een verankering van deze beginselen in een algemeen publiekrechtelijke wet' etc. Maar ik blijf van oordeel dat deze mening zal moeten worden herzien.

Ik denk in dit verband bijvoorbeeld terug aan de uitspraak van de toenmalige minister van Justitie ten tijde van de Schipholbrand in 2006. Op ons conceptrapport gaf deze minister toen, verkort weergegeven, onder andere als reactie: 'In uw rapport lijkt u normen te bepleiten die verder reiken dan de normen die voortvloeien uit de vigerende regelgeving. Dit geldt met name voor de invulling van het veiligheidsmanagement, waarbij (door de Raad) aan de betrokken partijen afzonderlijk bezien bredere, verder reikende verantwoordelijkheden worden toegekend dan op grond van vigerende wet- en regelgeving geldt.'

Deze reactie heeft zeker in een tijd van zelfregulering als verontrustende strekking dat men, in dit geval de overheidsdiensten, zich niet behoeft te houden aan de normen en richtlijnen van de sector zelf, omdat dit immers geen verbindende voorschriften zijn. Dus enerzijds wordt gepredikt 'laat de veiligheid aan de sector zelf over' en anderzijds hoef je je niet te houden aan de normen en de richtlijnen die de sector heeft voorgeschreven om de veiligheid te bevorderen, omdat dit geen wettelijke voorschriften zijn.

Gelukkig was de definitieve reactie anders. Op 18 oktober 2006 lieten de ministers van Justitie en van Volkshuisvesting, Ruimtelijke Ordening en Milieubeheer de Onderzoeksraad met betrekking tot dit punt weten dat 'de overheidsdiensten zich vanzelfsprekend aan de regelgeving moeten houden. Het kabinet deelt de opvatting van de Raad dat hierbij ook de voor de uitvoeringspraktijk opgestelde richtlijnen relevant zijn. Van de betrokken overheden mag worden verwacht dat zij de richtlijn als uitgangspunt nemen voor hun keuzes en handelen en daarvan niet anders dan met goede redenen afwijken.'

Alhoewel deze reactie mij in principe veel redelijker in de oren klinkt, moet je je hierbij toch wel afvragen: welke waarde kun je hechten aan de normen en richtlijnen van de sector als 'iedereen' op grond van argumenten van deze regels mag gaan afwijken? Voor inspecties wordt dan het toezicht op die medeverantwoordelijkheid een onmogelijke opgaaf. Van zelfregulering mag en moet worden verwacht dat door de sector zelf zodanige normen en richtlijnen worden opgesteld dat geen sprake meer kan zijn van afwijkingen 'op grond van goede redenen'. Vroeger werd een dergelijke manier van denken in de hand gewerkt, omdat door de sector zelf heel slordig met de richtlijnen kon worden omgesprongen, aangezien het geen wetgeving betrof.

Naar mijn mening dient zeer zorgvuldig te worden omgegaan met zowel de wettelijke regelingen als met de richtlijnen van de sector zelf. Anders valt nooit enig zicht te krijgen op een balans van verantwoordelijkheden. Bij de totstandkoming van wettelijke regelingen heb ik bijvoorbeeld zelf mogen ervaren dat zelfs bekende weeffouten in een wetsvoorstel werden doorgeschoven naar de evaluatie van de wet die om deze reden dan soms kon worden vervroegd! Voor de veiligheid is het van essentieel belang dat weeffouten in regels veel sneller worden aangepakt en gecorrigeerd, omdat het voortbestaan van verkeerde regels ondermijnend werkt.

De Onderzoeksraad kan zich wel kritisch uitlaten over wetten, maar dan is het in de meeste gevallen c.q. voorvallen reeds te laat, tenzij er sprake was van een bijna-ongeval.

Toezichthouders – zowel de externe als de interne – zijn natuurlijk de eerste die zich snel een oordeel kunnen vormen of wettelijke of niet-wettelijke regels in de praktijk voldoen. Zij zullen voor onze veiligheid in staat moeten worden gesteld om veel sneller handelend te kunnen optreden. Interne toezichthouders zouden de externe toezichthouders op de hoogte moeten stellen van hun bevindingen. De externe toezichthouders zouden de betrokken ministers en het parlement kunnen informeren of zich tot de desbetreffende sectoren kunnen richten als het om de normen en richtlijnen gaat.

Als inspecties tekortkomingen constateren, zoals het zich niet houden aan wettelijke regels of aan de richtlijnen, iets wat regelmatig voorkomt, dan zouden inspecties zich veel kritischer moeten gaan opstellen. Na enkele waarschuwingen zou men sneller mogen overgaan tot het stilzetten van bepaalde activiteiten. Natuurlijk ligt zo'n besluit uitermate gevoelig en wordt onmiddellijk gezegd dat je 'dit de organisatie of de sector niet kunt aandoen'. Maar in vele sectoren is de samenleving voor haar veiligheid zeer afhankelijk van het veiligheidsbeleid van ondernemingen of organisaties. Denk hierbij bijvoorbeeld aan de veiligheid in de gehele voedselketen, de gezondheidszorg, het openbaar vervoer, of het terrein van de gevaarlijke stoffen etc. In al deze sectoren mag de samenleving verwachten dat de overheid zich als veiligheidsregisseur zeer kritisch opstelt. Dit optreden van de toezichthouders vereist natuurlijk kwaliteit en vakmanschap. De onderneming of organisatie kan overigens altijd in beroep gaan tegen een besluit van de inspectie om het bedrijf of de activiteiten stil te zetten.

De frequentie van het toezicht kan afhankelijk zijn van de kwaliteit van de onderzochte organisaties. De kwaliteit van de veiligheid bij een organisatie zou je bijvoorbeeld met sterren extern kenbaar kunnen maken.

Met betrekking tot de regievoering denk ik ook nog aan de opmerkingen van de onderzoekscommissie over de vuurwerkramp in Enschede. In haar rapport wees de commissie erop dat de overheid was tekortgeschoten in haar toezicht op de naleving van voorschriften. Hier bleek bijvoorbeeld dat de gemeente Enschede nooit daadwerkelijk gebruik had gemaakt van haar handhavingsbevoegdheden en zo blijk gaf van haar bereidheid om intussen ontstane situaties te legaliseren. Er was volgens de commissie geen sprake van gedogen (want gedogen is een resultaat van een weloverwogen besluit), maar van een gebrek aan doortastendheid. Men verlangt dat de overheid de eigen verantwoordelijkheid van burgers en bedrijven erkent en dienovereenkomstig een zekere afstand houdt en ruimte biedt. Aan de andere kant bestaat de sterke neiging in de samenleving om de overheid onmiddellijk aan te spreken op een tekort aan toezicht en een gebrek aan moed en wil tot handhaving. Volgens de commissie zal het verdere debat – na calamiteiten – de spanning tussen deze twee soorten opvattingen en verwachtingen niet kunnen ontlopen.

Deze opvatting van de commissie onderschrijf ik ten volle, maar men gaat naar mijn oordeel toch te veel voorbij aan het uitgangspunt dat het de taak van de overheid is en blijft om haar burgers te beschermen. Dit betekent dat de overheid, in haar functie van veiligheidsregisseur, veel doortastender zal moeten optreden met de menskracht die zij daarvoor ter beschikking heeft. 'Een overheid op afstand' valt alleen in de praktijk te realiseren als organisaties kunnen aantonen dat zij de veiligheid ook daadwerkelijk beheersen en blijven beheersen.

Kortom, naar mijn overtuiging vraagt het functioneren van de overheidsinspecties onze volle aandacht en een waardering die zij nu veel te weinig krijgen. Zij worden eigenlijk als hinderlijk ervaren en dat geldt natuurlijk des te meer in een tijdperk van een overheid op afstand. Soms lees je dat inspecties moeten fuseren en dan weer afslanken, maar zelden wordt gesproken over hun grote waarde voor onze samenleving. Ik vind dat wij alle zeilen moeten bijzetten om te komen tot een hoogwaardig inspectie-instrumentarium. Als je immers een balans van verantwoordelijkheden wilt bewerkstelligen tussen overheid en onderneming of organisatie, dan spelen inspecties daarbij een essentiële rol.

Essentieel is ook dat duidelijker moet worden gemaakt wat de samenleving eigenlijk van de inspecties mag verwachten.

Eveneens zou ik meer aandacht willen vragen voor de aanbevelingen van evaluatiecommissies of commissies van toezicht in risicovolle sectoren. In dit opzicht denk ik bijvoorbeeld aan de verschrikkelijke gebeurtenis in Alphen aan den Rijn, waarbij een man 22 personen neerschoot, en zes mensen kwamen te overlijden.

De Onderzoeksraad kwam tot de conclusie dat het stelsel van legaal wapenbezit een aantal zwakke plekken kent. In dit stelsel was bijvoorbeeld niet gewaarborgd dat de politie, die moet bepalen of er vrees is voor misbruik, daadwerkelijk kan beschikken over de informatie die daartoe nodig is. Om deze reden kwam de Raad met als belangrijk advies de 'omkering van bewijslast' aan. Niet de politie moet aantonen dat iemand ongeschikt is, maar de aanvrager moet zelf aantonen dat hij wel geschikt is.

Het schietincident vond plaats op 9 april 2011 en helaas werd naar mijn mening in dit onderzoek onvoldoende stilgestaan bij het gegeven dat de Circulaire Wapens en Munitie, daterend uit het jaar 2005, in augustus 2010 was geëvalueerd, wat had geleid tot een grondig rapport met aanbevelingen. Dit evaluatierapport werd echter niet openbaar gemaakt. Spijtig genoeg ging de Raad daar in zijn onderzoeksrapport verder niet op. Men vermeldde niet waarom dit nooit was geschied. Later, toen het evaluatierapport alsnog was verkregen door het televisieprogramma *EenVandaag* met een beroep op de Wet openbaarheid bestuur, bleek dat de politie toen al had aangegeven dat met name psychische problemen ernstige veiligheidsrisico's met zich mee konden brengen. Daarom was destijds al voorgesteld om de bewijslast om te draaien!

Dit vind ik voor de veiligheid in een risicovolle sector een betreurenswaardige gang van zaken en ik vind het ook geen stimulans voor zo'n evaluatiecommissie. Hun aanbeveling had veel sneller moeten worden opgepakt en wettelijk vertaald. De Onderzoeksraad merkte in zijn rapport nog op dat 'lage prioriteitstelling ertoe leidt dat de korpsleiding en minister tekortkomingen in het stelsel niet opmerken, waardoor deze kunnen blijven voortbestaan'. Ik hoop oprecht dat men zich op dit terrein, en op andere risicovolle terreinen, in de toekomst veel kritischer gaat opstellen.

Bij de brand op Schiphol trof ik een vergelijkbare gang van zaken aan. De minister van Defensie benoemde een commissie, die toezicht moest houden op de huisvesting, veiligheid, verzorging en bejegening van celbewoners in detentieplaatsen die onder gezag stonden van de Koninklijke Marechaussee op Schiphol. In 2003 kwam deze commissie met een verslag en de verontrustende conclusie dat de brandpreventie aldaar zorgen baarde (dit betreft het oorspronkelijke cellencomplex, de vleugels J en K waren toen nog in aanbouw). Er werd opgemerkt: 'Op grond van deze bevindingen kan de commissie alleen maar concluderen dat een groot aantal celbewoners zal omkomen bij brand!'

In het verslag stond geschreven dat 'de brandpreventie onacceptabel is; het personeel kent geen ontruimingsplan, er zijn geen oefeningen en er is geen mogelijkheid van centrale ontgrendeling van cellen' etc. Dit verslag wordt op 26 april 2004 aan de minister van Defensie aangeboden. Deze antwoordt op 5 juli 2004 in een brief 'dat de ruimten voldoen aan alle gestelde eisen en per 1 april 2004 vallen onder de verantwoordelijkheid van de Dienst Justitiële Inrichtingen'. In een interne nota van de Directie Juridische Zaken aan de minister van Defensie staat nog expliciet vermeld dat de brandweer op 15 april 2003 een gebruiksvergunning heeft afgegeven en dat het complex voldoet aan alle eisen op het gebied van brandpreventie.

Indertijd merkte de Onderzoeksraad over deze gebruiksvergunning in zijn onderzoeksrapport op dat 'de brandweer over onvoldoende actuele kennis over enerzijds de regelgeving en anderzijds de specifieke risico's van het cellencomplex beschikte om een correcte beoordeling uit te voeren. Door het ontbreken van voldoende gegevens voor de beoordeling van de brandveiligheid is de gebruiksvergunning afgegeven, voordat aan de voorwaarden die zijn gesteld in de bouwvergunning was voldaan.'

De commissie van toezicht had haar bevindingen getoetst aan het Europees Verdrag van de Rechten van de Mens, het Internationaal Verdrag inzake Burgerlijke en Politieke Rechten, de Body of Principles for the Protection of all Persons van de Verenigde Naties, en de European Prison Rules van de Raad van Europa.

Ook in dit geval kun je je oprecht afvragen waarom de minister van Defensie eigenlijk een commissie van toezicht heeft ingesteld. Als de commissie op grond van dergelijke bronnen tot de uitspraak komt dat de brandpreventie onacceptabel is, dan kan en mag een minister naar mijn mening niet zomaar antwoorden dat de ruimten voldoen aan alle gestelde eisen.

Gezien het gegeven dat wij als samenleving geneigd zijn slordig met de regels om te springen, hecht ik voor het behoud van onze democratie veel waarde aan betrouwbare spiegels die ons regelmatig de werkelijkheid laten zien. Natuurlijk is het onafhankelijk onderzoek zo'n spiegel, maar dat geldt eveneens voor de onderzoeken van de parlementaire enquêtecommissies, de Algemene Rekenkamer en die van de Nationale Ombudsman, om er een paar te noemen.

In dit verband hecht ik ook zeer aan goede en betrouwbare onderzoeksjournalistiek. Helaas kent de journalistiek ook minder integere verschijningsvormen. Daarom lijkt het mij raadzaam om ons nog eens ernstig te beraden hoe wij in de toekomst zo'n betrouwbare onderzoeksjournalistiek kunnen stimuleren en eren.

Zelf heb ik het ook altijd onjuist gevonden dat wij de

burgers niet veel meer in staat stellen om over bepaalde onveilige situaties aan de bel te trekken en de samenleving over misstanden te informeren. Alleen de Nationale Ombudsman is er voor burgers, maar dan gaat het – alleen in tweede lijn – over gedragingen van de overheid en met name over de manier waarop overheidsinstanties hun taken uitvoeren.

Uit de onafhankelijke onderzoeken bleek bijna altijd dat veel betrokkenen in een organisatie of in een bedrijf volledig bekend waren met bestaande misstanden of onveilige situaties. Maar waar moet je als medewerker met zulke informatie naartoe? Onze samenleving is niet erg gesteld op mensen die de vuile was buiten willen hangen, maar het binnen de organisatie melden wordt ook niet al te zeer gewaardeerd. Kortom, het zijn slechts de moedigen geweest die hun nek hebben durven uit te steken, met alle gevolgen van dien. Daarom vind ik het voor onze samenleving van groot belang dat goede, onafhankelijke en betrouwbare klokkenluidersregelingen tot stand worden gebracht.

Zeer vergelijkbaar met het huidige onafhankelijke onderzoek zullen klokkenluidersmeldingen onderzocht moeten worden. Als in zo'n onderzoek de melder in het gelijk wordt gesteld, dan valt er eigenlijk voor de melder qua consequenties weinig te vrezen. Dit komt echter anders te liggen als de melder niet in het gelijk wordt gesteld. Voor hen die de melding wel volledig te goeder trouw hebben gedaan, dient nog een oplossing te worden gevonden.

Tot slot zou ik nog willen bepleiten dat burgers en zeker de slachtoffers of nabestaanden van een (ernstige) gebeurtenis het recht zouden moeten krijgen om precies te weten wat zich heeft afgespeeld: 'het recht op de waarheid'! Helaas, gebiedt de eerlijkheid mij hier op te merken, klinkt deze wens velen niet alleen als overdreven, maar ook als onhaalbaar en onwerkbaar in de oren. Dit zou immers kunnen leiden tot veel te veel aanvragen voor onderzoeken en waar ligt dan de grens?

Deze reactie is zeer begrijpelijk en waarschijnlijk ook realistisch. Maar naar mijn mening betekent de angst voor veel te veel meldingen dan wel dat wij allen heel goed beseffen dat het helemaal niet zo goed gesteld is met de veiligheid in onze samenleving en dat de betrokken organisaties weinig tot niet bereid zijn om een aanvaardbaar inzicht te geven in hun doen en laten of in wat zich precies heeft afgespeeld.

Deze gevoelens onderschrijf ik van harte, omdat ik in mijn ervaringen met de onafhankelijke onderzoeken heb ervaren dat alles – zeker in eerste instantie – glashard werd ontkend: de ruimten voldeden aan alle brandveiligheidseisen en uit een intern onderzoek was gebleken dat het medisch handelen niet had bijgedragen aan het overlijden van de patiënten etc.

Helaas leert de ervaring dat alleen onafhankelijke onderzoeken met wettelijke bevoegdheden in staat blijken deze hardnekkige ontkenningen te doorbreken. Dat krijgen klokkenluiders of verontruste burgers niet voor elkaar. Gezien het gegeven dat het zich niet houden aan de spelregels zeer negatieve consequenties kan hebben voor de maatschappij in zijn totaliteit, acht ik niet alleen klokkenluidersregelingen, maar ook het recht van slachtoffers of hun nabestaanden om te kunnen achterhalen wat zich heeft afgespeeld meer dan gerechtvaardigd.

Burgers kunnen, zo leert de praktijk, heel gemakkelijk slachtoffer worden van processen in onze maatschappij die pas later structurele veiligheidstekorten blijken te zijn. Denk hierbij aan gebeurtenissen in het openbaar vervoer, in ziekenhuizen, aan de mogelijke consequenties van milieuvervuiling of van het toevallig moeten leven in een omgeving waar q-koorts heerst.

Bij een melding van een klokkenluider gaat het veelal om een aantoonbare ernstige misstand, maar burgers kunnen ook slachtoffer worden van een bepaalde gebeurtenis, waarbij je eerder kan spreken van een sterk vermoeden dat er iets totaal niet deugt.

Dat burgers, zonder een nadere regeling, met hun ervaringen en zorgen in de kou blijven staan, is mij niet alleen gebleken uit de vele brieven die ik zelf hierover heb mogen ontvangen, maar ook uit het artikel in *de Volkskrant* van 31 maart 2012:

'De Inspectie voor de Gezondheidszorg neemt patiënten (mogelijke slachtoffers) vaak niet serieus, doet te weinig met ernstige meldingen, durft niet door te bijten en werkt bijzonder traag. Dit blijkt uit honderden klachten die zijn binnengekomen bij het meldpunt van de Nationale Ombudsman en *TROS Radar*. Patiënten die een klacht indienen bij de inspectie staan te vaak voor een dichte deur, constateert Nationale Ombudsman Alex Brenninkmeijer. Dit laatste bleek eveneens de ervaring te zijn van de ouders van baby Jelmer. In 2007 liep baby Jelmer een hersenbeschadiging op na een darmoperatie in het UMCG. Hij werd daardoor zwaar verstandelijk en lichamelijk gehandicapt. De ouders wilden precies weten wat de oorzaak was van de hersenbeschadiging, maar het UMCG en de IGZ gaven geen opheldering. Om met baby Jelmers moeder te spreken: 'Als je vertrouwt op iets wat er niet is, dan kun je misschien beter helemaal geen inspectie hebben. Dan weet je tenminste dat het er niet is.'

In een uitzending van *Nieuwsuur* heb ik indertijd hierover opgemerkt dat de inspecties voor dergelijke klachten van patiënten ook niet de juiste instanties zijn. Regelmatig wordt gedacht dat inspecties onafhankelijke onderzoeksorganisaties zijn, maar dat zijn zij niet. Zij zijn toezichthouder. Zij houden toezicht op de vigerende wet- en regelgeving en kunnen bij een strafrechtelijk onderzoek ook als verlengstuk van het Openbaar Ministerie functioneren.

Daarom zijn zij veel te veel bij het reilen en zeilen betrokken om een onafhankelijk oordeel te kunnen geven. De Nationale Ombudsman zou voor dergelijke klachten een veel betere instantie zijn – wat trouwens ook geldt voor de Onderzoeksraad voor Veiligheid – maar dan moet de taakstelling van de Nationale Ombudsman wel eerst worden gewijzigd. Nu is deze beperkt tot het onderzoeken van de manier waarop instanties hun overheidstaken uitvoeren. Bij de Nationale Ombudsman kun je terecht met klachten over gedragingen van de overheidsinspecties, maar niet met klachten over het doen en laten van ziekenhuizen. Kortom, er is nog veel te doen als je een 'veiliger' samenleving voor ogen staat.

Bij mijn oratie in april 2006 aan de Universiteit Twente heb ik mij een voorstander getoond van de komst van een ministerie van Veiligheid. Veiligheid is zo verregaand versnipperd en verkokerd, ook binnen de overheid, dat ik de komst van zo'n ministerie als een enorme stap voorwaarts zag om de overheid een betere veiligheidsregisseur te laten worden.

Een ministerie van Veiligheid betekent naar mijn mening zeker niet dat alle veiligheidstaken van andere departementen aan dit veiligheidsdepartement zouden moeten worden overgeheveld. Dat zou absoluut niet wenselijk en ook in de praktijk niet werkbaar zijn. Een ministerie van Veiligheid zou wel kunnen zorgen voor een grotere eenheid en eenduidigheid van denken over 'hoe' bijvoorbeeld inhoud gegeven moet worden aan de eigen verantwoordelijkheid voor veiligheid, iets dat nu geheel ontbreekt.

Zo'n ministerie zou ook de drijvende kracht kunnen zijn voor het nemen van meer 'regie', en kunnen helpen realiseren dat de bestaande overheidsinspecties eenduidiger optreden. Kwaliteitsverschillen mogen tussen de inspecties niet blijven voortbestaan. Hierbij denk ik niet aan de komst van één Nationale Inspectie, maar veel meer aan het voorkomen van grote onderlinge verschillen en verschillende beoordelingen.

Ook zou een ministerie van Veiligheid eraan moeten werken dat er goede klokkenluidersregelingen komen en dat slachtoffers van gebeurtenissen kunnen achterhalen wat er precies is gebeurd.

Met de komst van het ministerie van Veiligheid en Justitie leek het alsof mijn wens snel in vervulling was gegaan, maar dat is slechts gedeeltelijk het geval. Het onderwerp veiligheid kent namelijk twee gezichten: de safety- en de securitykant of, anders gezegd, het terrein van de fysieke en dat van de sociale veiligheid. Het ministerie van Veiligheid en Justitie heeft absoluut gezorgd voor een grotere eenheid van denken op het gebied van de sociale veiligheid, maar nog niet op het gebied van de fysieke veiligheid.

Voor de samenleving is het onderwerp veiligheid van grote betekenis. Dit geldt zeker daar, waar je van elkaar afhankelijk bent geworden. Als je vertrouwen aanzienlijk wordt geschonden, terwijl je zelf volledig te goeder trouw bent en achteraf blijkt ook nog eens dat men binnen de organisatie volledig op de hoogte was van hoe de vlag erbij hing, dan zijn wij niet op de goede weg. Ik hoop dat een betere regie, in combinatie met heldere afspraken en spiegels die ons de werkelijkheid blijven tonen, in staat zal zijn onze democratische samenleving in ere te houden.

Over het ministerie van Veiligheid en Justitie gesproken, sluit ik deze samenvatting graag af met de bijzonder aardige toespraak die de minister heeft gehouden ter gelegenheid van mijn afscheid van de Onderzoeksraad voor Veiligheid op 7 februari 2011:

Koninklijke Hoogheid, Professor Van Vollenhoven,
Hoogheden, dames en heren,

Een zucht van verlichting gaat door Den Haag...
Professor Mr. Pieter van Vollenhoven neemt afscheid als voorzitter van de Onderzoeksraad voor de Veiligheid.

Zijn onafhankelijke opstelling, zijn eigenzinnigheid, doorzettingsvermogen en strijdlust, gevoegd bij zijn gewoonte om – ongeacht reputatie, naam of faam van de verantwoordelijken – ongezouten kritiek te uiten op veiligheidstekorten die hij signaleerde, maakten hem tot een geducht onderzoeker.

'The world is a safer place, because of your work and leadership,' sprak Barry Sweedler, voormalig directeur van de us National Transportation Safety Board, ter gelegenheid van uw 70ste verjaardag, bijna twee jaar geleden. Een mooi compliment, dat ik van harte kan onderschrijven! Nu, bij uw afscheid van de Onderzoeksraad, zou ik willen opmerken dat de wereld opnieuw een stuk veiliger wordt. Maar dan bedoel ik in dit geval vooral het wereldje van de – al dan niet Haagse – verantwoordelijke politici en bestuurders.

Want vergeten zijn we ze nog lang niet, de prominente onderzoeken naar ernstige ongevallen, die een grote impact op de samenleving hadden.

Ik noem hier het onderzoek naar de hartchirurgie in het umc St Radboud, dat naar het vliegtuigongeval van Turkish Airlines en uiteraard dat naar de Schipholbrand, dat leidde tot het aftreden van twee ministers – onder wie een van mijn illustere voorgangers als minister van Justitie, Piet Hein Donner.

Ik zeg daar ogenblikkelijk bij dat het niet om die reden is dat we dit ministerie hebben omgedoopt in dat van Veiligheid en Justitie, met bijbehorend takenpakket. Hoewel het uiteraard saillant is dat – was alles bij het oude gebleven – het uitgerekend minister Donner van Binnenlandse Zaken en Koninkrijksrelaties zou zijn geweest die u, Professor Van Vollenhoven, vandaag hier had staan toespreken...

Van rancune zou, ook in dat geval, echter absoluut geen sprake zijn geweest. Waardering – grote waardering – is er in Haagse kringen en ver daarbuiten altijd geweest voor de gedegen onderzoeken van de Onderzoeksraad voor Veiligheid. De bekende 'onderste steen' moest boven komen – met minder nam de Raad, maar zeker ook zijn voorzitter, geen genoegen. En die onderste steen kwam vrijwel altijd boven – niet in de laatste plaats dankzij de scherpe speurzin, bezieling en volharding van Professor Van Vollenhoven. Zijn aanbevelingen betekenden bovendien meestal evenzovele verbeteringen. Daarmee heeft hij een belangrijke bijdrage geleverd aan het veiliger maken van Nederland. Ik denk dat we – en dat bedoel ik in de breedste zin des woords: niet alleen politiek en bestuur, maar ook burgers en de samenleving als geheel – hem zeer veel dank zijn verschuldigd. Diezelfde bezieling en volharding liggen ook ten grondslag aan de oprichting van de Onderzoeksraad. Zijn nimmer aflatende pleidooi om een einde te maken aan de versnippering die er bestond op het terrein van onderzoek naar rampen en ongevallen, vond ten langen leste gehoor. Zeker na de vuurwerkramp in Enschede en de cafébrand in Volendam omarmden steeds meer deskundigen zijn pleidooi om te komen tot één onafhankelijke Onderzoeksraad. Die kwam er uiteindelijk op 7 februari 2005, vandaag op de kop af zes jaar geleden.

Maar niet zonder slag of stoot. Met de hem kenmerkende gedrevenheid heeft Professor Van Vollenhoven zich ingezet voor twee belangrijke thema's, die volgens hem voor die Raad een conditio sine qua non waren:
– het borgen van de onafhankelijkheid van de Raad: onafhankelijk van politiek en bestuur;
– de voorwaarde dat getuigenverklaringen die in het kader van het onderzoek werden afgelegd nooit als bewijs zouden mogen dienen in eventuele strafrechtelijke, tuchtrechtelijke of civiele procedures. Getuigen, zo liet

Van Vollenhoven niet na te benadrukken, moesten vrij kunnen spreken. Dit alles in het kader van de waarheidsvinding, die voor hem absolute prioriteit had.

Ik heb mij laten vertellen dat over die kwesties destijds heel wat verhitte discussies zijn gevoerd, al dan niet voorafgegaan of gevolgd door scherpe brieven en/of nota's. Uiteindelijk waren het toch weer de volharding en de overtuigingskracht van Van Vollenhoven die de doorslag gaven.

Ook de eerste jaren dat de Onderzoeksraad actief was, leidden nog weleens tot strubbelingen. Met name de afstemming met Rijksinspecties, die ook een deel van het onderzoek voor hun rekening nemen, zorgde nog wel eens voor problemen. Inmiddels zijn daar echter goede werkafspraken over gemaakt – afspraken die onlangs door alle betrokken partijen zijn bekrachtigd.

Ook hebt u stevige discussies gevoerd met mijn ambtsvoorgangers, over de rol en verantwoordelijkheden van de overheid, de burger en de ondernemer op het terrein van veiligheid. Op veel punten kwam het uiteindelijk tot overeenstemming. Op een enkel punt echter niet, zoals over de noodzaak om te komen tot een Veiligheidsbeginselenwet. De door u bepleite maatschappelijke discussie hierover acht ik echter van zeer groot belang. Het is dan ook niet voor niets dat in het kabinetsplan Nederland Veiliger expliciet aandacht wordt gevraagd voor de eigen verantwoordelijkheid en vandaaruit ook actiever participeren van burgers en bedrijfsleven op het terrein van veiligheid.

Geachte heer Van Vollenhoven, met de U kenmerkende zelfspot hebt u ooit opgemerkt: 'Een gasexplosie is erg, maar het wordt pas een ramp als Pieter van Vollenhoven zich ermee gaat bemoeien.' Een fraaiere omschrijving van uw werk dan deze dubbelzinnigheid heb ik niet kunnen vinden. Het resultaat van uw werkzaamheden was echter verre van een ramp: u hebt structurele veiligheidstekorten blootgelegd – die befaamde onderste steen, nietwaar...? – en aanbevelingen gedaan om toekomstige ongevallen of rampen zoveel mogelijk te beperken. Daarin bent u méér dan geslaagd – en daarvoor zijn wij u allen zeer dankbaar!

Tot slot

Natuurlijk vond ik het enorm spijtig om de Onderzoeksraad in februari 2011 te verlaten. Ik had er zo voor gestreden en in principe had ik er ook nog twee jaar kunnen blijven: de Raadsleden worden voor maximaal acht jaar benoemd en wij waren geïnstalleerd in februari 2005. Dan hadden wij echter allen in 2013 moeten vertrekken en dat was vanzelfsprekend voor de continuïteit geen goede zaak geweest.

Maar op het gebied van veiligheid, en ook daarbuiten, valt nog zoveel te doen, dat ik na de Raad met een nieuw en ander soort leven ben begonnen.

Natuurlijk kwam allereerst geheel onverwacht dit boek op mijn pad en ik heb nu mogen ervaren dat 'schrijven' helemaal niet meevalt. Het is niet alleen een uitermate tijdrovende aangelegenheid, maar soms ook buitengewoon frustrerend. Bij het schrijven ontdek je immers direct wat je niet precies weet, met als gevolg dat dan meteen de hele schrijfmachine volledig tot stilstand komt. Eerst moet je dan van alles gaan uitzoeken en dat proces gaat geenszins vanzelf.

Ik dacht bijvoorbeeld: O, dat hoofdstuk, dat schrijf ik wel even in de zomervakantie. Nu, vergeet het maar. En daar kan ik buitengewoon humeurig van worden en niemand heeft daar enig begrip voor. Want ik moest toch zelf zo nodig dit boek schrijven?

'Je hebt het jezelf aangedaan... en dan moet je niet bij ons humeurig gaan zitten zijn.'

De veiligheidsactiviteiten worden voortgezet via de Stichting Maatschappij, Veiligheid en Politie (SMVP) en via het Kenniscentrum Risicomanagement en Veiligheid, dat de Universiteit Twente onlangs heeft opgericht en dat in september 2012 van start is gegaan. Daar had ik al 'enige' tijd voor gepleit, en dat de universiteit tot de oprichting van dit kenniscentrum heeft besloten, waardeer ik in hoge mate. Voor het onderwerp veiligheid acht ik de komst van dit centrum van groot belang, omdat veiligheid en risicomanagement immers zeer nauw verweven onderwerpen zijn.

Bij de oprichting van de SMVP was ik indertijd betrokken en ik was daar van begin af aan, in 1986, ook voorzitter van.

In eerste instantie was de stichting gericht op zaken die gerelateerd waren aan het werk van de politie, naar voorbeeld van de activiteiten van de Engelse Police Foundation. Maar tegenwoordig zijn er naast de politie veel meer instanties die zich inzetten voor de veiligheid in onze maatschappij. Daarom zal het woord 'politie' in de nabije toekomst uit de naam komen te vervallen. De stichting houdt zich immers bezig met veiligheid in de breedste zin van het woord. Tal van onderwerpen die ik eerder heb genoemd, zoals de balans tussen de verantwoordelijkheid van de overheid voor veiligheid en die van een onderneming of een organisatie, behoren tot het werkterrein van de stichting en verdienen onze 'kritische' aandacht. Denk daarbij aan zaken als patiëntveiligheid, voedselveiligheid etc.

Daarnaast hecht ik veel waarde aan de komst van een goede klokkenluidersregeling en aan het onderwerp 'wat mogen burgers van de politie in het algemeen verwachten?'

Zelf vond ik het indertijd een vreemd bericht dat de politie geen tijd meer zou hebben voor het afhandelen van winkeldiefstallen. Er werd een proef genomen – ik dacht in Zaltbommel – met de inschakeling van bijzondere opsporingsambtenaren (BOA's). Zo'n bericht roept toch veel vragen op, zeker als je weet dat binnen gemeenten steeds meer

BOA's worden ingezet om taken van de politie over te nemen. Er is hier zelfs sprake van een wildgroei. Krijgen wij via de BOA's een nieuw soort gemeentepolitie? En waar gaat de Nationale Politie zich binnen de gemeenten dan mee bezighouden?

Verder is de SMVP door het 'vfonds', dat zich inzet voor vrede, vrijheid en veteranenzorg, gevraagd om zich in te zetten voor het onderwerp 'erkenning en waardering' van die personen die zich inzetten voor de veiligheid van ons allen. Een onderwerp dat mij persoonlijk zeer aanspreekt, evenals de aanpak van agressie, bijvoorbeeld tegen onze hulpverleners. Ook vind ik het een boeiend vraagstuk wat wij van burgers op het gebied van veiligheid mogen verwachten, alvorens de hulpdiensten arriveren. En onlangs hebben de vier grote gemeenten ons gevraagd of wij mee willen denken over de consequenties die verbonden zijn aan onze vuurwerktraditie. Niet alleen wordt het vuurwerk steeds zwaarder en kan men langzamerhand gaan denken aan het woord explosieven, maar bovendien loopt de inzet van de hulpdiensten tegen zijn grenzen aan.

Ten slotte wordt steeds vaker ter discussie gesteld of de veroorzakers van bepaalde gebeurtenissen, zeker als zij niet te goeder trouw hebben gehandeld, niet veel meer de rekening gepresenteerd zouden moeten krijgen voor de consequenties van hun handelingen, en eveneens voor de inzet van de diverse hulpdiensten. Met professor mr. G.G.J. Knoops buigt de stichting zich over de consequenties die eraan verbonden zijn als bepaalde organisaties – in dit geval de reders – de overheid moeten gaan betalen voor hun veiligheid. Dit laatste lijkt mij principieel onjuist. Bovendien kom je in een lastig vaarwater terecht als de overheid, om welke reden dan ook, de beveiliging niet op zich wil nemen.

Kortom, er zijn nog talloze boeiende onderwerpen die onze aandacht verdienen en alhoewel de SMV(P) zeer klein is, staan wij beslist open voor de zorgen die in de maatschappij leven.

Ook in het buitenland heb ik nog allerlei contacten op het gebied van veiligheid. Zo heb ik in België en in Polen gesproken over het opzetten van onafhankelijk onderzoek. Enige jaren geleden werd ik uitgenodigd door de Universiteit Leuven om een lezing te houden over het onafhankelijk onderzoek. Bij mijn introductie werd gezegd dat men de Prins van het onafhankelijk onderzoek uit Nederland had uitgenodigd en dat België sindsdien geteisterd werd door ernstige rampen. Niet lang daarvoor had het ernstige treinongeval in Halle plaatsgevonden.

De Belgische Minister van Justitie – in die tijd mevrouw Turtelboom – besloot naar aanleiding van deze bijeenkomst een studie te laten uitvoeren naar de mogelijke instelling van een onafhankelijke onderzoeksraad in België. Uiteindelijk werd de Universiteit Leuven met dit onderzoek belast, en heb ik dat mogen begeleiden.

Ik acht het meer dan de moeite waard om dit project nog verder te stimuleren, allereerst omdat de komst van een Belgische onderzoeksraad natuurlijk van groot belang is voor de Belgische samenleving, maar bovendien omdat ik een mogelijke samenwerking tussen de Nederlandse en een Belgische onderzoeksraad van belang acht voor de kwaliteit van de te ondernemen onderzoeken. Dit laatste hangt vanzelfsprekend wel in hoge mate af van hoe onafhankelijk zo'n zusterorganisatie in de praktijk mag functioneren. Helaas heb ik vernomen dat de studie naar de oprichting van een onafhankelijke onderzoeksraad voor België – die in november 2011 was afgerond – nog niet is gepubliceerd.

Ook in Polen hebben fantastische bijeenkomsten over een onafhankelijke onderzoeksraad plaatsgevonden. Men had er absoluut belangstelling voor, maar uiteindelijk vond men het toch nog een brug te ver om het achterhalen van de waarheid zo maar uit handen te geven aan een afzonderlijke onderzoeksorganisatie. Desondanks heeft de Poolse ambassadeur mij voor mijn inzet op dit gebied onlangs met een onderscheiding beloond, wat ik zeer heb gewaardeerd. Het is natuurlijk toch een stimulans te blijven helpen zo'n onderzoeksraad alsnog in het leven te roepen.

Kortom, het is meer dan de moeite waard deze beide buitenlandse paden verder te blijven bewandelen. Alleen is het vervelende van ouder worden dat je zeker weet dat je niet nog eens tweeëntwintig jaar de tijd krijgt om daarvoor te strijden.

Van een totaal andere aard zijn de uitermate positieve ervaringen die ik als voorzitter van het Nationaal Restauratiefonds heb opgedaan in de monumentenwereld.

In 1985, toen ik nog voorzitter was van de Raad voor de Verkeersveiligheid – dat was in de roerige tijd van opheffen of doorgaan –, werd mij totaal onverwacht door minister Brinkman gevraagd of ik voorzitter wilde worden van het nog op te richten Nationaal Restauratiefonds. Waarschijnlijk heb ik vanwege die roerige tijden direct 'ja' gezegd, terwijl ik natuurlijk niets wist van de monumentenwereld, noch van het onderwerp financiën. De insiders op het departement en de geestelijk vader achter de oprichting van dit Nationaal Restauratiefonds, de heer Jan Jessurun, toen hoofddirecteur van de Rijksdienst voor de Monumentenzorg, vonden mijn benoeming een historische vergissing!

Natuurlijk was het dat ook, maar ik ben nog steeds verheugd over deze benoeming, want het is een uitermate boeiende ontdekkingsreis geworden in een totaal andere wereld.

Voor de monumentenwereld vormden de jaren tachtig een tijdperk van bezuinigingen en met het Nationaal Restauratiefonds wilde men proberen het bestaande subsidiestelsel om te bouwen naar een stelsel van subsidies en leningen. Om een lang verhaal – ik ben daar nu 27 jaar voorzitter – kort te maken: het Nationaal Restauratiefonds is erin geslaagd te bewerkstelligen dat zeventig procent van alle monumenten tegenwoordig wordt onderhouden en gerestaureerd door leningen vanuit zijn 'revolving fund'.

Mede door de Open Monumentendagen heerst nu een sfeer van 'kom niet aan onze monumenten'. Betrokkenen wijden zich met grote liefde en toewijding aan het behoud van onze rijks-, provinciale en gemeentelijke monumenten, en ook aan het behoud van beschermde stads- en dorpsgezichten.

Zelf was ik zo enthousiast over deze ervaringen dat ik een van de initiatiefnemers ben geweest achter de oprichting van het Nationaal Groenfonds in 1996 om zo de ervaringen uit de monumentenwereld te kunnen vertalen naar de groene wereld. Deze vertaalslag werd niet direct een groot succes, omdat de financiële nood daar toen nog niet zo groot was. Maar de tijden zijn volledig veranderd en je kunt gerust stellen dat de monumentenwereld er thans veel beter voor staat dan de wereld van de natuur.

In de natuur is immers nu – in 2012 – sprake van zo'n zestig procent bezuinigen. Dat zijn bezuinigingen die je niet kunt overleven. Tevens wordt gezegd: 'Wij beschermen als Rijk nog alleen wat Brussel voorschrijft.'

Zulke onzinnige uitspraken hebben wij gelukkig in de monumentenwereld nooit gekend, daar hebben wij altijd zelf bepaald wat moest worden behouden. Maar wat zo onjuist is aan deze uitspraak, is dat die volledig voorbij gaat aan het gegeven dat wij zelf – inclusief het departement – Brussel hebben geïnformeerd over wat Nederland zou willen en moeten beschermen.

Daar komt nog bij dat de wereld van de natuurbescherming uitermate onoverzichtelijk en daardoor onduidelijk is door de vele benamingen, zoals nationale parken, nationale landschappen, EHS-gebieden, Natura 2000, etc.

Het wordt nu oprecht een uitdaging om de ervaringen, opgedaan in de monumentenwereld, te vertalen naar de wereld van de natuur. Als voorzitter van het Nationaal Groenfonds heb ik de informateurs in oktober 2012 dan ook voorgesteld om in de natuur een start te maken met het (deels) vervangen van subsidies door leningen met een lage rente, om zo investeringen in de natuur financierbaar te maken en te houden. Net als in de monumentenwereld zal subsidie nodig blijven, maar van de subsidies die nu nog beschikbaar zijn voor de natuur zou dan een deel gereserveerd moeten worden voor dit leningenstelsel.

De monumentenwereld kent een heldere indeling in rijks-, provinciale en gemeentelijke monumenten. Daarnaast zijn er de aangewezen beschermde stads- en dorpsgezichten. Voor de natuur acht ik zo'n heldere gebiedsindeling, waarin duidelijk het internationaal, nationaal en provinciaal of regionaal belang wordt weergegeven, eveneens van groot belang. Nu is de bescherming van de natuur een taak van de provincies geworden, maar het zou logischer zijn als de natuur een gezamenlijke taak van het rijk, de provincies en de gemeenten zou zijn. Rijksregie, zoals dat ook het geval is bij de monumenten, blijft vanzelfsprekend geboden.

Een kenmerk van de monumentenwereld is van oudsher het particulier initiatief geweest. Van dit particulier initiatief kan een enorme kracht uitgaan, die ik graag meer in het natuurbeleid en -beheer zou introduceren. Het succes van de Open Monumentendagen, die zo bijdragen aan het draagvlak voor monumenten, zou ik graag vertaald zien naar de wereld van de natuur en bijvoorbeeld Open Natuurdagen organiseren.

Een totaal andere activiteit heeft te maken met het welslagen van ons Koninkrijk, dat nu bestaat uit Nederland en de drie Caribische eilanden Curaçao, Aruba en Sint Maarten, die elk een gelijkwaardige partner zijn. De drie andere Caribische eilanden, Bonaire, Sint-Eustatius en Saba, hebben als onderdeel van Nederland inmiddels een rechtstreekse staatkundige band met ons land.

Wat ik zeer betreur, is dat wij sinds 1954 nooit gezamenlijk hebben vastgelegd wat wij in het Koninkrijk concreet met elkaar zouden willen bereiken. Voor samenwerking is niet alleen een doel noodzakelijk, maar ook spelregels tussen de partners en natuurlijk een effectief toezicht. In Europa hebben wij de afgelopen jaren helaas mogen ervaren dat samenwerking zonder duidelijke spelregels en zonder toezicht op langere termijn geen goed resultaat oplevert. Dus voor het inhoudelijk welslagen van ons unieke transatlantische Koninkrijk moeten nu alle zeilen worden bijgezet.

Kortom, er is nog veel te doen.

Na het laatste concert met Louis van Dijk, in 2002, heb ik de piano nooit meer aangeraakt. Enerzijds had dat te maken met mijn toenemende activiteiten inzake het onafhankelijk onderzoek. Maar ook raakte ik in Malta in 2005 bij het duiken het topje van mijn rechter wijsvinger kwijt. Ik kwam in mijn duikuitrusting uit het water en pakte de ladder vast van onze boot. Helaas raakte mijn wijsvinger daarbij klem in het scharnier van de trap. Een zeer pijnlijke ervaring. Gelukkig droeg ik handschoenen, anders was mijn vingertopje waarschijnlijk door een vis meegenomen. Overigens duik ik nog altijd met veel plezier. Alleen mijn instructeursdiploma moet ik weer eens activeren.

Na de concerten ben ik veel in de natuur gaan fotograferen en nu steun ik het Fonds Slachtofferhulp met fototentoonstellingen, wat voor een ieder natuurlijk veel rustiger is dan het pianospel! Ik vind het fantastisch dat Slachtofferhulp inmiddels een begrip is geworden en dat wij deze mensen niet meer in de kou laten staan. Uw steun blijft hierbij trouwens onontbeerlijk, want in deze financiële ongunstige tijd is het echt heel moeilijk om het hoofd boven water te houden.

'Wij lossen het op,' dat is een uitspraak die ik veel heb gebezigd. Inmiddels is het wellicht zelfs een afwijking geworden. Ik ben een echte stier. Als u te veel met iets roods wappert, loopt u de kans dat ik op u af kom. Ik heb weleens gehoord dat dit allemaal op oudere leeftijd overgaat, maar zo langzamerhand begin ik mij toch wel onrustig af te vragen wanneer dat dan wel mag zijn.

Mijn vrouw is totaal anders! Voor haar hoeft dit geschrijf ook geenszins. Die troep in mijn kamer met al die stukken die ik denk nog nodig te hebben.

'Geniet toch van het leven en schrijf die uitgever: heel veel dank voor uw spontaan verzoek, maar helaas kan ik daaraan geen gevolg geven.' Wellicht is dit een goede suggestie voor een volgend verzoek!